D1195973

DUMONT

Layla und Basil waren immer eine untrennbare Einheit, Geschwister, die zusammengehören, zwischen die nichts kommt. Bis Layla eine Entscheidung trifft, die alles verändert und die niemand versteht: Sie beschließt zu heiraten. Einen Mann in der alten Heimat, Saudi-Arabien. Keine Entscheidung aus Liebe, sondern aus Prinzip. ›Weil wir längst woanders sind‹ erzählt die Geschichte von Basils Reise nach Jeddah zur Hochzeit seiner Schwester. Er möchte ein letztes Mal die alte Nähe spüren. Zugleich führt ihn sein Besuch mitten hinein in die eigene Vergangenheit: in den liebevoll-skurrilen Kosmos der saudischen Verwandtschaft, die in seinem »deutschen Leben« nie anwesend war und doch immer da in der Erinnerung. Was treibt Layla – eine nicht religiöse, freiheitsliebende junge Frau – dazu, sich für ein Land zu entscheiden, in dem Frauen alles andere als frei sind? Wie soll man umgehen mit einem Gefühl von Fremdheit, das unauflösbar scheint? Rasha Khayat stellt schmerzhafte Fragen. Und sie findet Antworten, die ebenso irritieren wie im Innersten berühren.

Rasha Khayat, geboren 1978 in Dortmund, wuchs in Jeddah, Saudi-Arabien, auf. Als sie elf war, siedelte ihre Familie nach Deutschland zurück. Sie studierte Vergleichende Literaturwissenschaften, Germanistik und Philosophie in Bonn. Seit 2005 lebt sie in Hamburg und arbeitet als freie Autorin, Übersetzerin und Lektorin. 2010 war sie Stipendiatin der Jürgen-Ponto-Stiftung.

Rasha Khayat

WEIL WIR LÄNGST WOANDERS SIND

Roman

DUMONT

März 2017
DuMont Buchverlag, Köln

Umschlaggestaltung: Thomas Mader, Köln
Satz: Presse- und Verlagsservice, Erding
Gesetzt aus der Baskerville
Druck und Verarbeitung: CPI books GmbH, Leck
Gedruckt auf säurefreiem und chlorfrei gebleichtem Papier
Printed in Germany
ISBN 978-3-8321-6409-6

www.dumont-buchverlag.de

Für Hayat

With so many dissonances in my life
I have learned actually to prefer
being not quite right and out of place.

Edward W. Said, ›Out of Place‹

Schnee

Eines Tages ist er einfach da. Über Nacht, ganz leise und unbemerkt. Er liegt dort, als wäre es nie anders gewesen, völlig selbstverständlich. Ich ziehe die Gardine im Wohnzimmer auf wie jeden Morgen. Und da steht es fest, so einfach, eine Tatsache.

Wir hatten noch nie echten Schnee gesehen. Schnee kannten wir bisher nur aus Kinderbüchern oder von den deutschen Fernsehsendungen, die unsere Großeltern uns auf VHS-Kassetten aufgenommen und in großen Paketen nach Hause geschickt hatten, zusammen mit Lebkuchen zu Weihnachten oder Schokoladenhasen zu Ostern. Und von Bildern kannten wir ihn, den Schnee. Von Kinderfotos meiner Mutter, wo Barbara, eingehüllt in einen roten Skianzug, auf einem hölzernen Schlitten sitzt und sich von ihrem Bruder über einen Weg oder eine Wiese, eine weiße Decke ziehen lässt.

Und nun liegt er da, auf unserem Balkon, in den Blumenkästen mit den abgeschnittenen Rosen und auf den seit Monaten unbenutzten Plastikstühlen.

Ich stehe und starre, eine Hand noch an der Gardinenschnur, im Schlafanzug, mit nackten Füßen, und kann es nicht glauben. Der Himmel ist in dichtes Grau verkleidet, und die Wolken hängen so tief, dass ich fürchte, sie könnten jeden Moment an der bunten Windmühle hängen bleiben, die Layla im Sommer in einen der Blumenkästen gesteckt hat. Eine pechschwarze Amsel sitzt am Rand des Blumenkastens und pickt suchend in dem eingeschneiten Rosenstrauch.

Hinter mir höre ich, wie Layla mit leisen, tapsenden Schritten ins Zimmer kommt. Sie bleibt ganz dicht neben mir stehen, barfuß und im Nachthemd. In der rechten Hand hält sie ihren Stoffhasen, für den sie mit ihren sieben Jahren eigentlich schon zu alt ist, der aber seit einigen Monaten wieder mit in ihrem Bett schläft. Ihre linke Hand greift nach meiner Rechten und umklammert sie ganz fest. Sie schaut hoch zu mir, als suche sie nach einer Vergewisserung.

Ich lasse die Gardinenschnur los und öffne die Tür. Zusammen treten wir auf den bestäubten Balkon. Die Luft ist kalt, und es riecht nach Regen und Abgasen. Vorsichtig treten wir auf, unsere Füße drücken die dünne Schicht nieder und reißen kleine Löcher in die weiße Decke. Ich zucke zusammen unter der feuchten Kälte an den Füßen und bücke mich, um auch mit der Hand zu fühlen, ob sich das feine Puder tatsächlich unter unseren Berührungen auflöst. Laylas Arme und Beine sind von einer Gänsehaut überzogen. Sie zittert ganz leicht. Der Schnee gibt dem sanften Druck meiner Handflächen sofort nach, zwei- oder dreimal spreize ich alle zehn Finger und ziehe sie wieder zusammen, schiebe kleine Schneehäufchen zur Seite und verteile sie auf dem Boden, bis meine Hände in einer kleinen Pfütze liegen.

Ich richte mich auf, schüttle die nassen Finger aus und lege Layla den Arm um die Schulter. Sie hat ihren Hasen sorgsam auf dem Wohnzimmerboden abgelegt und zerreibt nun bedächtig eine Handvoll Schnee zwischen den Fingern. Schließlich ist auch davon nur noch Wasser übrig, und sie wischt ihre kleinen Hände erleichtert an dem rosafarbenen Nachthemd ab.

Unter unserem Balkon fegt jemand den Bordstein, und auf dem Supermarktparkplatz wischt eine Frau mit einem Stück Pappe die Windschutzscheibe ihres Autos frei.

»Kann man es essen?«, flüstert Layla, fast nur für sich. »Bei Ronja Räubertochter lutschen sie auch Schnee. Basil, lass uns den Schnee probieren.« Sie schaut mich mit ihren großen schwarzen Augen an. Ihre Locken sind noch ungekämmt, und sie sieht selbst ein bisschen aus wie eine Räubertochter.

Ich nehme etwas Schnee von der Lehne des Plastikstuhls und gebe Layla die Hälfte in die Hand. Vorsichtig lecken wir erst ein bisschen an unseren Schneekugeln und stecken sie uns dann hastig in den Mund, schnell und hektisch, rein damit, wie eine Pille oder ein Schluck Hustensaft. Layla verzieht ihr Gesicht, ich kaue langsam und höre es knirschen zwischen meinen Zähnen. Der Schnee schmeckt nach nichts, und an Laylas Blick sehe ich, dass sie ein wenig enttäuscht ist, genau wie ich, auch wenn wir beide nicht wissen, was wir vielleicht erwartet haben.

Hinter uns in der Wohnung höre ich die Tür zum Badezimmer zufallen. Kurz darauf wird die Dusche aufgedreht. Schnell schiebe ich Layla zurück ins Wohnzimmer und schließe die Balkontür.

Später in der Woche nehmen uns meine Großeltern mit in den Stadtpark. Der Teich dort sei zugefroren, sagt meine Oma, wir könnten mit den anderen Kindern aus der Schule Schlittschuh laufen. Mein Opa hat zwei Paar Kinderschlittschuhe eingepackt und meine Großmutter Kakao in einer blauen Thermosflasche und eine Tüte belegter Brötchen. Mein Großvater parkt seinen roten Wagen an der Straße, in einer langen Reihe anderer Autos. Eltern und Großeltern strömen in den Park, die Kinder lachen und werfen Schneebälle, viele tragen ihre Schlittschuhe zusammengebunden über der Schulter.

Layla zupft an ihrer roten Wollmütze, die zu klein ist für den dichten Lockenkopf und immer wieder zu Boden fällt. Meine Großmutter nimmt ihr die Mütze ab, dreht die Locken zu einem Knoten ein und zieht Layla die Mütze wieder auf, bis sie knapp über den Augen sitzt. Meine Schwester schaut mich fragend an, ich zucke nur mit den Schultern. Auf meiner Mütze, die meine Oma mir zusammen mit einem türkisfarbenen Fleecepulli vor ein paar Tagen mitgebracht hat, ist das Wappen eines Fußballvereins aufgestickt, den ich nicht kenne.

Ich steige aus dem Auto, in jeder Hand einen Schlittschuh, und schaue den anderen Kindern hinterher. Es hat den ganzen Vormittag geschneit. Neben dem Eingang zum Park baut eine Gruppe kleiner Mädchen einen Schneemann. Auf der Wiese am Teich entdecke ich Stefan und Patrick aus meiner Klasse. Auch sie haben Schlittschuhe dabei, schwarze, glänzende, und Hockeyschläger. Sie treten aufs Eis und fahren sofort los, gleiten, verfolgen sich, schneiden enge Kurven um ein paar Mädchen aus der Parallelklasse und schlagen Schneebälle mit den Schlägern über die glitzernde Fläche. Als sie in unsere Richtung schauen, blicke ich auf den Boden, schiebe einen kleinen Schneeberg mit meinen Stiefelspitzen zusammen.

»Na los, Kinder, wollt ihr nicht auch mitmachen?«, fragt meine Großmutter, kniet sich vor Layla hin und beginnt, ihr die Schlittschuhe anzuziehen. Meine Großmutter trägt nie Hosen. Sie trägt Kleider, meist mit Blumen oder Streifen, auch heute, unter ihrem braunen Wollmantel, und ihre hautfarbene Strumpfhose saugt sich mit Schneewasser voll. An den Knien zeichnet sich schnell ein Fleck ab. Wie kleine Flüsse, kleine Adern wandert das Wasser über den Unterschenkel und bis in den Pelzbesatz ihrer Stiefel.

»Ich kann das doch gar nicht«, sagt Layla leise und zieht langsam ihren rechten Fuß weg.

»Ach, da ist doch nichts dabei«, sagt meine Oma. »Ihr lauft einfach los. Sogar die Kinder aus der ersten Klasse können Eislaufen. Das klappt schon. Schau mal, was die für einen Spaß haben.« Zögerlich hält Layla ihr den Fuß wieder hin und lässt sich die weißen Eislaufstiefel schnüren.

Meine Schlittschuhe sind am Spann zu eng, und das Auftreten auf der weißen Wiese tut weh.

»Na also, nun seht ihr aus wie die anderen Kinder. Basil, nimm deine Schwester mit, lauft mal los. Wir bleiben hier stehen. Keine Angst. Los, los, macht schon.«

Layla vergräbt ihre Hand in meinem Fäustling, und wir staksen gemeinsam auf das Eis. Sie rutscht sofort aus und reißt mich mit zu Boden. Ihr Schlittschuh verfängt sich in ihrem Anorak. Meine Knie zittern von der Kälte und vor Schreck, vorsichtig hangle ich mich an einem Baumstamm wieder hoch und helfe Layla aufzustehen. Mit weit ausgestreckten Armen und unglücklichem Gesicht macht sie drei Trippelschritte auf der Eisfläche. Um uns herum fliegen Schneebälle, und ein kleiner roter Dackel rennt so dicht an mir vorbei, dass ich ihn beinahe getreten hätte. Er trägt einen Stock im Maul und wirft mir einen vorwurfsvollen Blick hinterher. Layla rührt sich keinen Zentimeter und schaut mir zu, wie ich mich langsam auf sie zubewege. Unter mir knackt das Eis, und die Kufen bleiben immer wieder an kleinen Löchern oder Furchen hängen. Auch der Hund lässt mich nicht aus den Augen und geht nun langsam neben mir her. »Komm schon, du schaffst das«, scheint er sagen zu wollen. »Ich kann's ja auch, und ich kann sogar noch Stöckchen tragen dabei.«

Ich atme tief durch. Die Luft ist kalt und brennt in der Lunge. Mit zusammengekniffenen Lippen versuche ich, die Gleitbewegung der anderen Kinder nachzuahmen. Oberkörper nach vorn, Arme leicht zur Seite. Der Hund steht nun neben Layla, und die beiden sehen mir erwartungsvoll zu.

»Ach Kinder, stellt euch doch nicht so an«, höre ich meinen Opa von hinten rufen. »Mutti, komm, wir zeigen den beiden mal, wie die Profis das machen.«

Meine Großmutter kommt nicht mehr dazu zu protestieren. Opa packt sie bei der Hand, zieht sie aufs Eis, umfasst ihre Taille mit seinem rechten Arm und gleitet in einen Tanzschritt.

»Jetzt mach doch keinen Quatsch, Vatter«, sagt meine Oma und lacht dabei. Es kommt nicht oft vor, dass sie lacht.

Zusammen bewegen sich die beiden immer weiter auf die Eisfläche. Sie tragen keine Schlittschuhe, nur ihre Winterstiefel, und mein Opa wiegt sich und hüpft und singt dazu: »Rosamunde, schenk mir dein Herz und sag Ja. Rosamunde, frag doch nicht erst die Mama.«

Um sie herum versammeln sich nun immer mehr Leute, klatschen und lachen. Mein Großvater gleitet schneller und schneller und dreht meine Oma mit sich, Drehung um Drehung, leichte Schritte, noch eine Strophe. Der Dackel mit dem Stöckchen hat die Aufregung gewittert, seinen Wachposten neben Layla verlassen und springt nun um meine tanzenden Großeltern herum. Meine Oma wirft den Kopf in den Nacken, die dunkle Dauerwelle wippt im Takt. Auf den Knien sind noch immer die Wasserflecken zu sehen.

Layla nimmt mich bei der Hand und lächelt. Mit der anderen Hand zieht sie sich die Mütze wieder vom Kopf und wirft sie aufs Eis. Sie schüttelt ihre Locken aus, genau wie unsere tanzende Großmutter, summt leise die Melodie mit, wippt im Takt. Die tückischen Schlittschuhe an ihren Füßen hat sie offenbar vergessen.

Als wir später zurück zum Auto gehen, beginnt es zu schneien. Das grautrübe Licht verwolkt sich immer mehr, und die surrenden Laternen im Park scheinen ihr sandiges Gelb in die Flocken. Stefan und Patrick haben mich nun doch gesehen und kommen kurz zu uns herübergelaufen. »Hey, nächstes Mal musst du mit uns Hockey spielen! Mein Vater hat noch Schläger in der Garage.« Ich nicke und verabschiede mich hastig, meine Schlittschuhe in der Hand.

Layla geht einige Meter vor mir, an der Hand meiner Großmutter. Mein Großvater singt noch immer den Refrain von *Rosamunde*, als er den Wagen aufschließt. Layla schaut in den Himmel, öffnet den Mund und versucht, mit der Zunge ein paar Schneeflocken zu fangen. Ich fahre ihr durch die dunklen Haare, die nun weiß gepunktet und schneedurchzogen sind.

»Komm, steig schnell ein, nicht, dass du dich noch erkältest«, sage ich, und sie krabbelt auf die Rückbank.

Auf der Fahrt legt sie ihren feuchten Kopf an meine Schulter.

»Basil, meinst du, wir fahren bald nach Hause?«

»Erinnerst du dich, Layla?«

»Natürlich erinnere ich mich, ya akhi.«

Aufbruch

Der Spender mit den Papiertüchern ist leer. Ich wische mir die nassen Hände an der Hose ab und schaue in den beschlagenen Spiegel. Vielleicht hätte ich mich doch noch rasieren sollen. Ich fahre mit den Fingern über die dunklen Bartstoppeln und durchs Haar. Der Mann im Spiegel sieht müde aus und älter, als ich mich fühle. Das macht vielleicht aber auch das grelle Licht. Ein Businesstyp in Anzug betritt die Toilette und hält mir die Tür auf. Ich überlege, ob ich noch schnell eine Zigarette rauchen soll, aber die nächste Raucherzone ist am anderen Ende des Terminals.

Im Wartebereich stehen die letzten Passagiere vor dem Eingang zum Gateway Schlange. Ich könnte noch umdrehen. Noch ist es nicht zu spät, ich könnte einfach rausmarschieren aus dem Flughafen, mich in den Zug zurück nach Hamburg setzen und morgen zur Arbeit gehen oder vielleicht mal wieder zur Uni. Mein Koffer würde allein nach Kairo und dann nach Jeddah fliegen. Er würde so lange auf dem Gepäckband im Kreis fahren, bis ihn jemand herunterfischt, in eine Abstellkammer trägt und versucht, den Besitzer zu ermitteln.

Vermutlich würden sie den Koffer öffnen und sich an den Sachen bedienen, die sie interessieren. Die neuen Turnschuhe, T-Shirts, ein dunkler Anzug. Barbara hatte darauf bestanden, dass ich ihn einpacke.

»Passagiere nach Kairo? Noch jemand nach Kairo?«, ruft ein Flughafenmitarbeiter mit schmaler schwarzer Polyesterkrawatte.

Ich ziehe meine Bordkarte aus der Jackentasche, gehe mit schnellen Schritten auf ihn zu und halte ihm meinen Pass und das Ticket hin. Er zieht es über den Scanner, den Pass ignoriert er. Ein synthetisches Lächeln. »Guten Flug.«

Ich bin der letzte, der die Maschine betritt, hinter mir wird das Gate geschlossen. An der Tür zum Flieger begrüßt mich eine Stewardess trotzdem freundlich, als hätte ich den Betrieb kein bisschen aufgehalten, und bringt mich zu meinem Platz in der First Class. Sie haben alles für mich arrangiert. Das ist gut gemeint und völlig selbstverständlich. In der Economy Class eingepfercht zu sein, das können sie sich nicht vorstellen, ein geradezu absurder Gedanke, so zu reisen. Außerdem wollen sie mir wohl einfach etwas Gutes tun. Viel Gelegenheit dazu gebe ich ihnen schließlich nicht.

Der Platz neben mir ist frei, was mir ganz recht ist. Ich räume die Wolldecke, das frische weiße Kissen und die kleine Kulturtasche mit dem Airline-Label auf den Nebensitz, schnalle mich an und schaue aus dem Fenster. Es ist viertel nach zwei, draußen regnet es, und ein Flugloste in leuchtend gelber Jacke fährt mit einem kleinen Transporter an unserer Maschine vorbei.

Ich fliege in ein Land, gegen dessen politische Zustände ich alle paar Wochen Onlinepetitionen unterzeichne. Genauso wie vermutlich neunzig Prozent meiner Nachbarn in St. Pauli. Keiner von ihnen wird jemals dorthin reisen, selbst wenn es ihnen möglich wäre. Warum sollten sie auch? Layla wird dort nicht Auto fahren dürfen, denke ich, aber sie wird einen Fahrer haben. Sie wird nicht ins Kino gehen können, obwohl sie das immer so geliebt hat. Denn da, wo sie jetzt lebt, gibt es keine Kinos.

Das mit dem Kino tut mir aufrichtig leid. All die anderen Gedanken sind mir im Moment zu schwierig. Wenn ich an Jeddah denke, fallen mir nur die Pakete mit den Granatäpfeln ein und dem trocken gewordenen Fladenbrot, die sie uns früher immer geschickt haben, damit wir in Deutschland nicht verhungern.

Die Stewardessen verteilen Getränke, Zeitungen und heiße, feuchte Tücher an die vier Gäste der ersten Klasse und ziehen den Vorhang zur Economy zu.

Auf dem Display vor mir wird der Clip mit den Sicherheitshinweisen abgespielt. Die Maschine setzt sich langsam in Bewegung, und ich warte auf den Moment, in dem sie beschleunigt und ich in den Sitz gedrückt werde. Dabei versuche ich, an Layla zu denken, und an meinen Vater. Oder versuche, sie zu vergessen und mir lieber um meine Topfpflanzen Gedanken zu machen, die vermutlich verdurstet sind, bis ich zurückkomme. Aber während der animierte kleine Mann vor mir seine Schwimmweste anlegt und den Aufblasschlauch in den Mund nimmt, kommt mir lediglich die Titelmelodie der

Captain-Majid-Cartoons in den Sinn, die wir so gerne geschaut haben, während die Klimaanlage im Wohnzimmer leise rappelte. Layla und ich konnten damals jede Folge auswendig mitsprechen.

Das Anschnallzeichen über mir erlischt. Der Mann auf der anderen Seite des Gangs zieht seine Schuhe aus, setzt sich eine Schlafmaske auf und stellt die Sitzlehne zurück. Ich weiß nicht, ob ich aufgeregt bin oder einfach nur hundemüde von den letzten Wochen und den Telefonaten mit Barbara, die mir ständig die Fragen gestellt hat, die sie lieber ihrer Tochter stellen sollte. Ich überlege, auf die Toilette zu gehen und mir etwas Wasser ins Gesicht zu spritzen, aber da verteilen die Stewardessen schon die Speisekarten für das Mittagessen. »Today, we have a choice of beef, fish or vegetarian meals for you, sir. Together with salads, fruit and some sweets, arabic and european. Enjoy your flight.«

Mein Magen knurrt tatsächlich, ich habe nicht gefrühstückt, obwohl Barbara es nicht leiden kann, wenn ich ohne Frühstück aus dem Haus gehe. Das war schon immer so, egal, wie alt wir waren oder wie lange wir schon nicht mehr bei ihr wohnten. Ohne Frühstück geht man nicht aus dem Haus, auch wenn das für sie selbst nicht gilt. Sie trinkt nur Kaffee und raucht zwei Zigaretten. Aber Kinder müssen essen.

Sie hatte mich gestern Mittag mit dem Auto am Bahnhof abgeholt. Natürlich hätte ich genauso gut von Hamburg aus fliegen können. Ohne Umweg oder Schleife, mit einer anderen Verbindung, die kaum mehr Zeit in Anspruch genommen hätte. Aber es war ein ungeschriebenes Gesetz. Jede größere Reise, die wir antraten, hatte am Düsseldorfer Flughafen zu beginnen, sodass wir den Abend davor bei ihr verbringen konnten.

Ich hatte meinen Cousin ganz selbstverständlich gebeten, diese Route zu buchen, wohl aber auch, weil ich gehofft hatte, dass Barbara mir noch irgendwas mitgeben wollte, eine Nachricht für Layla oder dass sie im letzten Augenblick doch noch entschieden hatte mitzukommen. Das war natürlich völliger Blödsinn, denn sie ist kein Mensch, der für Überraschungen gut wäre.

Wir hatten den ganzen Nachmittag am Küchentisch gesessen, geraucht und Kaffee getrunken. Barbara raucht viel, sie sagt, das sei die Arbeit im Krankenhaus, da käme man nicht umhin, das sei alles wahnsinnig stressig.

Layla und ich nennen sie unter uns immer nur beim Vornamen. Layla sagt auch manchmal »Die Mutter«, als sagte sie »Der Papst« oder »Die Kanzlerin«. Mit ihren klaren, scharfen Gesichtszügen und ihren langen Fingern wirkt sie jünger als die Frau von siebenundfünfzig Jahren, die sie ist. Ihre Nägel sind immer akkurat gefeilt, ihre Haare sauber getönt und geschnitten, die Augenbrauen lässt sie sich auch beim Friseur zupfen und färben. Die Ärzte im Krankenhaus mögen sie. Sie ist fleißig und verlässlich, nimmt nie ein Blatt vor den Mund und setzt sich immer für die jüngeren Schwestern und Pfleger ein. Layla sagt, sie wäre gern mit dieser Frau aufgewachsen, der Krankenhaus-Barbara, die immer weiß, was sie zu tun hat und so einfach auf Menschen zugehen kann.

Auf dem Küchentisch vor uns lag ein angefangenes Puzzle ausgebreitet. Hunderte kleine Steine, blau und grün und grau und rot, Ecken, Kanten, mit Zacken und kleinen Einbuchtungen. Der Rand des Bildes war zur Hälfte gelegt. Der Deckel der Schachtel zeigte das Tadsch Mahal vor sehr blauem Himmel, mit photogeshoppten Brunnen und menschenleeren Wiesen davor.

Schweigend legten wir eine Weile die Teile aneinander, suchten Stücke vom Himmel, fügten kleine Steine zu Türen und Fenstern zusammen, was mir ziemlich gut gefiel, weil wir so nicht reden mussten.

»Hast du deine Immatrikulationbescheinigung an die Versicherung geschickt?«, fragte sie irgendwann, und ich hatte genickt, und Barbara hatte eine Wolke ergänzt. Dann hatte sie mich angeschaut mit diesem Blick, der sagte, dass sie mir das nicht glaubte, und natürlich hatte sie recht.

Weil ich nicht wusste, was ich sonst noch sagen sollte, war ich aufgestanden, zum Kühlschrank gegangen und hatte mir eine Cola genommen. »Willst du auch was?«

Sie schüttelte den Kopf.

An ihrer Kühlschranktür pinnen Kinderfotos von uns, mit bunten Magneten festgemacht, die Barbara sich manchmal aus ihren Urlauben mitbringt. Ein Leuchtturm, eine Möwe, ein Bild vom Schloss Neuschwanstein. Neuschwanstein hält Layla und mich fest an die Tür geheftet, wie wir im Garten unserer Großeltern sitzen und Waffeln essen. Layla streckt ihre Zunge raus, die ganz rot ist von den Kirschen. Ich sitze neben ihr, wie auf fast allen Kinderfotos, und schaue sie an. Ich versuche, mir den Jungen vorzustellen, was er gedacht hat und was er dem kleinen Kirschmädchen wohl sagen wollte, kann mich aber nicht erinnern.

Dann hatte ich gesagt, dass der Flug morgen erst um vierzehn Uhr ginge, und das Schweigen war noch unangenehmer geworden. Aber ich musste das Thema schließlich ansprechen, es führte kein Weg daran vorbei.

»Du könntest noch einen Flug buchen. Sie haben es immer wieder angeboten.«

»Ich kann nicht weg, die geben mir keinen Urlaub.« Barbara hatte eine kleine Turmspitze zusammengesteckt und an ihrer Zigarette gezogen.

»Ich glaube kaum, dass man dir eine Woche Urlaub verweigert, um zur Hochzeit deiner Tochter zu fliegen.«

»Deine Schwester hat nicht mehr alle Tassen im Schrank, Basil.«

Ich hatte mich zurück an den Tisch gesetzt und den Impuls unterdrückt, sie in den Arm zu nehmen, weil sie plötzlich so zerbrechlich aussah, aber sie hätte das gar nicht gewollt, sie mochte solche Gesten noch nie, ebenso wenig wie ich.

»Ich denke, sie würde sich freuen, ihre Mutter bei ihrer Hochzeit dabeizuhaben«, hatte ich stattdessen gesagt. Und dann hatte sie losgelegt.

»Du glaubst doch nicht, dass sie das ernst meint mit dieser Hochzeit. Eine von ihren Launen ist das, das sag ich dir. Fährt über zwei Jahre lang durch die Weltgeschichte, meldet sich nie und will dann einen völlig fremden Mann heiraten in einem Land, wo sie nichts darf. Deine Schwester hat einen Dachschaden, und ich unterstütze das ganz bestimmt nicht!«

»Sie meint, das ist ihr Zuhause«, hatte ich gesagt und mich sofort geärgert, weil das so leer und sinnlos klang.

»Blödsinn. Das hier ist ihr Zuhause. Oder Hamburg, oder was weiß ich. Was will sie denn da hinten? Sie kennt doch die Leute alle nicht. Da hat sie sich wieder mal was in den Kopf gesetzt und will sich durchsetzen. Wie immer. Soll sie machen. Mir egal. Aber ohne mich.«

Barbaras Haut wirkte weiß und durchsichtig gegen den Rollkragen des dunkelgrauen Pullovers. An ihrem Hals zeichneten sich kleine rote Striemen von der Wolle ab, und zum ersten Mal fiel mir auf, wie viele Falten sich um ihre Augen gebildet hatten.

Die Spülmaschine hatte ein aufdringliches Pfeifen von sich gegeben. Barbara war aufgesprungen, hatte die Klappe aufgerissen und war kurz im Dampf der frisch gespülten Teller versunken. Sie hatte geklappert und geräumt und sortiert. »Dieses beschissene Spülzeug. Guck dir mal die Messer an. Alles fleckig.«

Barbara räumt immer auf. Oder um, oder ein. Als unsere Großmutter vor ein paar Jahren starb, wickelte Barbara ununterbrochen Besteck in Servietten für das Kaffeetrinken nach der Beerdigung. Sie schnitt Käse zurecht und trug die Platten von einem Raum in den anderen. Das Wohnzimmer war zu warm, der Waschkeller zu kalt. Wo zum Teufel sollte man nur den ganzen Käse hinstellen? Layla und ich hatten schweigend auf der Couch gesessen und ein Fußballspiel geschaut. Layla hatte still geweint, und ich hatte darauf geachtet, dass Barbara ihr nicht zu nah kam. »Selbst wenn man die Tür hinter sich zumacht, hat man keine Ruhe vor ihrem Nebel«, hatte Layla damals zu mir gesagt und sich dabei an einer Teetasse festgeklammert. »Immer muss sie sich bewegen, warum kann sie nicht einfach mal still sitzen, Basil?«

»Wenn sie etwas nicht aushält, geht sie weg«, hatte ich gesagt. »Das wissen wir doch.«

Barbara hatte die Messer mit einem Geschirrtuch poliert und dann lautstark ins Besteckfach geschmissen.

»Setz dich bitte mal hin, Mama.«

»Ich muss das hier erst ausräumen.«

»Das hat Zeit. Ich kann das auch gleich machen.«

Sie klapperte noch eine Weile mit den Tellern, setzte sich dann aber wieder an den Tisch. Ihr Blick verschwamm hinter den beschlagenen Brillengläsern. Sie fischte eine neue Zigarette aus der Packung, lehnte sich in ihrem Stuhl zurück, nahm sich Feuer und zog zweimal tief den Rauch ein.

»Mein Sohn ist einunddreißig, kriegt sein Studium nicht fertig und jobbt in einer Kellerkneipe. Meine Tochter schmeißt ihre Buchhändlerausbildung kurz vor Schluss, haut ihr Erbe auf den Kopf, gondelt durch die Weltgeschichte und will nach über zwanzig Jahren in ein Land zurückkehren, das sie nicht kennt, um da jemanden zu heiraten, den sie auch nicht kennt. Glaubst du wirklich, ich will mich diesen Leuten aussetzen und das erklären, Basil? Was ich alles falsch gemacht habe mit meinen Kindern, so sehr, dass meine Tochter glaubt, sie müsste zu einer fremden Familie zurückkehren? Dass ich so eine schlechte Mutter war nach allem, was war? Was habe ich denn falsch gemacht, dass euch alles immer so schwer fällt, Basil? Kannst du mir das verraten? Nein, ich fliege ganz bestimmt nicht mit dahin und mache diesen Zirkus mit.«

»Ladies and Gentlemen, in a few minutes we will begin our descent towards Cairo Airport …« Die Ansage holt mich aus meinen Gedanken zurück, vielleicht bin ich auch kurz eingeschlafen. Es ist fast sieben Uhr ägyptischer Zeit, und draußen dämmert es bereits. Ich setze mich auf und schaue aus dem Fenster. Unter mir sehe ich Häuser über Häuser, kleine braune Schuhschachteln, die sich über hunderte von Kilometern zu erstrecken scheinen. Sekündlich leuchten immer mehr Lichter auf, während die Sonne langsam verblasst und einem schwerdunstigen Abendhimmel weicht. Nur ein roter Streifen, schmal wie ein Pinselstrich, bleibt am Horizont zurück. Durch die Mitte der Schuhschachtelstadt fließt eine dicke, graugrüne Ader. Das ist er also, der Ort, an dem Layla ihr erstes Jahr nach ihrem überstürzten Weggang aus Hamburg verbracht hat. Ein Jahr lang hat sie hier Deutsch unterrichtet und Arabisch neu gelernt, hat mir unzählige E-Mails geschrieben und Bilder geschickt, auf die ich nur selten und meist zu kurz geantwortet habe. Aber was hätte ich ihr auch erzählen sollen? Zweimal wollte ich sie besuchen, beide Male habe ich kurz vorher abgesagt. Ich spüre einen leichten Druck auf den Ohren, die Stadt unter mir kommt immer näher, die Lichter der Landebahn werden heller, und mit einem lauten Surren fährt der Pilot das Fahrwerk aus. Die Maschine setzt zur Landung an.

Die Laufwege zwischen den Terminals sind viel zu hell ausgeleuchtet, die eine Rolle meines Trolleys klemmt. Die arabische Frauenstimme aus dem Lautsprecher verkündet etwas, vermutlich, dass man auf sein Handgepäck achten soll. Der Klang der Sprache fühlt sich seltsam an, ich habe die weichen, fließenden Worte ewig nicht gehört, nicht in dieser Art und Weise. Ich bilde mir ein, Häppchen der Sätze zu verstehen, *»Hadarat el-Musafirin«* – Verehrte Reisende. Für viel mehr reicht es nicht, und ich schäme mich ein wenig.

Die grüne Beschilderung neben der Abflugtafel weist den Weg zu den nächsten Toiletten, einem Gebetsraum, und auch das internationale Zeichen für Raucherbereich ist abgebildet. Ich bewege mich automatisch in die angegebene Richtung.

Der Raucherbereich entpuppt sich als kleine Glaskabine, in der höchstens sechs Personen Platz haben, aber mindestens zehn Leute stehen. Eine dichte Wolke aus Qualm schlägt mir entgegen, und alle wirken ein bisschen so, als wäre es ihnen peinlich, dass sie es so nötig haben. Aber bevor ich umdrehen und abhauen kann, hält mir schon ein Mann in meinem Alter seine geöffnete Schachtel hin. Ich nicke dankend, nehme eine Zigarette und lehne mich an die Glaswand. Der Typ redet auf Arabisch auf mich ein, freundlich, gestikuliert mit der rechten Hand und lacht laut, bis er meinen zögernden Blick bemerkt. »Oh sorry, I thought you are Egyptian. You look arabic«, sagt er. »Where are you from?«

»Germany«, antworte ich, nehme einen tiefen Zug und muss husten.

»Oh really? Welcome to Egypt.« Er reicht mir die Hand und stellt sich vor. »My name is Salim Hassan. Nice to meet you, brother.«

»Basil Sayyed«, sage ich, und er stutzt.

»Basil Sayyed. Also bist du doch Ägypter und nicht Deutscher. Dachte ich es mir doch«, sagt Salim auf Englisch.

»Mein Vater ist Araber, aber ich lebe schon sehr lange in Deutschland.« Meine knappe Standardantwort klingt auch in einer fremden Sprache nicht weniger entschuldigend als auf Deutsch.

»Ah, great, great. Sprichst du gar kein Arabisch?«

Ich schüttle den Kopf. Noch will ich mir die Blöße nicht geben, es zu versuchen.

»No problem, ich arbeite in den Staaten, ich rede sowieso ständig Englisch, auch mit meinen Freunden. Was führt dich nach Kairo, Basil?«

Seine Offenheit überfordert mich. Ich hatte gehofft, mit niemandem reden zu müssen, bis ich an meinem endgültigen Ziel lande. Um das Gespräch abzukürzen, sage ich, dass ich gleich weiter nach Jeddah muss.

»What? Jeddah? Shit. Was willst du denn da? Hast du einen Job dort?«

Ich überlege kurz, seine Frage einfach zu bejahen, aber zum Lügen fehlt mir im Moment der Ehrgeiz.

»Ich bin zu einer Hochzeit eingeladen«, verknappe ich die Wahrheit.

»Oh wow! Saudi wedding! Großartig. Mein Cousin hat auch dort geheiratet, große Sache. Das war aber in Riad. Jeddah soll viel besser sein, viel offener, you know. Ich war noch nie dort. Du?«

Ich zucke mit den Schultern. »First time«, sage ich.

»Aufregend, sehr aufregend, Mann. Saudi Arabia. Shit. Die sind schon ganz schön verrückt da. Viele aus meiner Familie haben dort gearbeitet. Mögen keine Ägypter, die Saudis, mögen eigentlich niemanden, außer sich selbst und die Amerikaner. Wickeln ihre Frauen in schwarze Zelte und so.« Er lacht laut und klopft mir auf die Schulter. »No no, I'm just joking. Gute Leute, gute Leute, Basil.«

Er drückt seine Zigarette aus und kramt in seiner Umhängetasche. »Hör zu, ich muss los, mein Vater wartet draußen, um mich abzuholen. Aber hier ist meine Karte. Wenn du irgendwas brauchst, ruf mich an. Wenn du mal wieder in Kairo bist, zeig ich dir die Stadt. Wir können Whisky zusammen trinken. Good to meet you, Basil, take care.«

Vor dem Gate warten bereits andere Passagiere. Viele der Männer sind nur in die weißen Tücher der Pilger eingehüllt. Schwarze Bärte, Sandalen an den nackten Füßen. Sie sitzen in Gruppen mit ihren Kindern und ihren Frauen, die ebenfalls lange weiße Gewänder und Kopftücher tragen, neben großen Einkaufstaschen aus dem Duty-Free-Shop, blättern in kleinen Büchern oder tippen in ihr Handy. Andere sind in die traditionellen Thowbs gekleidet, ihre Frauen in schwarze Abaya. Ich werde mir meiner westlichen Kleidung seltsam bewusst, vergrabe die Hände in meinen Jeanstaschen und setze mich ein wenig abseits der anderen Reisenden hin. Kinder in bunten Kleidern laufen an mir vorbei und schauen mich halb neugierig, halb verschüchtert an.

Ich ziehe mein iPhone aus der Tasche und öffne das Memoryspiel. Die bunten Bilder auf dem Display zeigen rosa Vögel, blaue Autos, Blumen und Tiere. Ich tippe auf die Paare, spiele drei, vier Runden hintereinander, ohne aufzublicken.

Um mich herum wird geredet, gerufen und gelacht. Zwei junge Frauen in Laylas Alter gehen kichernd an mir vorbei. Ihre Stöckelschuhe klackern auf dem Marmorboden, und ich schaue kurz von meinem Handy auf. Die Mädchen tragen enge, schwarze Jeans, geblümte Seidenblusen, bunte Kopftücher und große, teuer aussehende Handtaschen am Arm. Selbstbewusst gehen sie an den Pilgern vorbei, die ihnen ebenfalls hinterherstarren, und setzen sich in den Wartebereich.

Ich spiele noch eine Runde, bis der Akku des iPhones fast leer ist. Mein Flug wird aufgerufen, und ich will das Telefon grad ausschalten, als eine SMS angezeigt wird. »Have a nice flight cousin, I'll be there picking you up. See you in a bit.«

Jeddah

Die Stadt hat keinerlei Ähnlichkeit mehr mit dem Ort aus meinen Erinnerungen. Manchmal, vielleicht ein- oder zweimal im Jahr, träume ich noch von ihr, so wie sie gewesen ist, als wir sie zum letzten Mal verließen. Mehr als zwei Jahrzehnte ist das inzwischen her.

Damals ist uns der Weg zum Flughafen noch wie eine einzige, lange Wüstenrallye vorgekommen. Eine Ewigkeit fuhr man über flirrende Betonstraßen, die sich wie blaue Adern durch die graue, endlose Wüste zogen. Höchstens mal eine Werbetafel, und hin und wieder ein Häuserskelett oder eine Baustelle.

Jetzt erinnert nichts mehr an diese abenteuerlichen Fahrten. Eine neue, achtspurige Autobahn führt vom Flughafen direkt in einen sterilen Satellitenvorort. Die Stadt hat die Wüste geschluckt.

Es ist dunkel draußen, aber überall glimmen Lichter, reflektieren sich in den Fassaden aus Glas und Stahl. Teure Appartementgebäude, sehr teure Autos neben uns und im Gegenverkehr. Auf jede Moschee kämen mittlerweile zwei bis drei Shoppingmalls, hatte Layla geschrieben, und ich konnte es mir nicht vorstellen, bis ich es sehe. Und nun kommt es mir vor, als führen wir über einen riesengroßen Jahrmarkt mit all seinen bunten und blinkenden Leuchtschriften, Logos und Reklamen – rot und blau für Burger King, weiß und schwarz für Hugo Boss, orange für Harley Davidson, gelb und grün für Chillie's Taco Bar. Es ist unglaublich voll und laut. Es wird gehupt, aus heruntergelassenen Fenstern geschimpft, von irgendwoher leiert synthetischer Arab-Pop.

Vor den Drive-Throughs von Dunkin' Donuts und KFC haben sich lange Schlangen von SUVs und dunklen Limousinen gebildet, junge Männer lehnen sich aus den Fenstern, um große Tüten und Pappbecher entgegenzunehmen. Einige von ihnen haben ihre kleinen Kinder auf dem Schoß, die auf dem Lenkrad herumtrommeln. Kaum drei Stunden hier, und ich kann mich fast nicht mehr erinnern, wie Frauenhaare aussehen. Stattdessen schwarze Kopftücher überall, kleine und große Ninja-Frauen.

»Na, erkennst du noch etwas wieder?«, fragt Omar auf Englisch. »Hat sich ganz schön verändert, oder?«

»Du kannst ruhig Arabisch mit mir sprechen«, sagte ich. »Ich hab's nicht verlernt.«

Mein Cousin lacht. »Nein, aber dein Akzent ist grauenvoll. *Marra min barra.* Das treib ich dir in den nächsten Tagen schon aus.«

Omar hat mich vom Flughafen abgeholt. In den letzten Tagen hatte ich mich oft gefragt, wie unser Wiedersehen sein würde. Als Kinder haben wir viel Zeit miteinander verbracht, obwohl er fast zehn Jahre älter ist als ich. Er hatte Layla und mir schwimmen im Pool seiner Eltern beigebracht und oft im Hof mit uns Fußball gespielt. Inzwischen ist er einundvierzig, schiebt einen großen Bauch vor sich her – typisch Saudi, würde Barbara sagen –, ist zum dritten Mal verheiratet und Vater von zwei Teenagern. Ich hatte die Bilder von ihnen auf Facebook gesehen – Hochzeiten, Urlaube, die Kinder, die dick und etwas scheel in die Kamera blicken und Victory-Zeichen machen.

Am Flughafen hatte er mich schon vor der Passkontrolle eingesammelt. »*Ya Basha*, gibt man dir in *Almanya* nichts zu essen?«, hatte er mich lachend begrüßt, mich umarmt und mir einen spielerischen Stoß in die Seite versetzt. »Du siehst ja aus wie ein Zahnstocher. Komm, lass uns schnell hier verschwinden, damit du mal was Anständiges zwischen die Zähne bekommst.« Er hatte mir meinen Pass aus der Hand genommen, unauffällig einen Geldschein zwischen die Seiten gelegt und mich durch das glitzernde neue Terminal hinter sich hergezogen. »Ein Freund von mir arbeitet bei der Einreisestelle, der hat mich durchgelassen. Jetzt müssen wir nur noch schnell zu ihm ins Büro, dein Visum stempeln.« Die Gruppe weiß gekleideter Pilger, die in Kairo mit mir eingestiegen war, hatte sich inzwischen zu einem Knäuel vor der Passkontrolle zusammengedrängt, laut rufend und gestikulierend. »Immer dasselbe«, meinte Omar. »Können nicht schnell genug die heilige Erde betreten. Wenn die wüssten, was sie hier erwartet.«

Mein Visum wurde im Büro von Omars Bekanntem schnell und umstandslos gestempelt, ein paar Höflichkeiten wurden ausgetauscht. »Ah, *Almanya*, Jer-Ma-Nee, very good, Mika-Eel Schu-Maker, Ba-Jern Mju-Nik! *Ahlan wa sahlan, ya akhi!*«

Als ich den Pass wieder einsteckte, war der Geldschein verschwunden.

»Warum bist du nicht schon früher gekommen, letzte Woche oder so?«, fragt Omar, als wir auf die belebte Corniche abbiegen. »Dann hätten wir mehr Zeit, und du könntest die ganze Familie mal wiedersehen.«

»Ich musste noch arbeiten und hab erst einen Flug für heute bekommen.«

Schweigend schaue ich aus dem Fenster und spüre, wie alte, längst verblasste Bilder in mir aufsteigen. Die beleuchtete King-Fahad-Fontäne direkt an der Küstenstraße, die man schon vom Flugzeug aus im Landeanflug sehen kann. Die bunt angestrahlten Kunstwerke auf den Verkehrsinseln, auf denen wir als Kinder herumgeklettert sind. Der Betonblock, in dem vier Autos stecken, hatte es uns besonders angetan. Ich habe lange geglaubt, was unser Vater uns darüber erzählte: Vor Jahren seien Straßenarbeiten gemacht worden an der Corniche, und die Autos wären viel zu schnell gefahren und im feuchten Beton gelandet. Und dass der König die Autos dort habe stehen lassen, um die anderen Fahrer zu ermahnen, nicht zu schnell zu fahren.

Layla hatte damals schon erkannt, dass es sich wohl um ein Märchen handelte. »Das geht doch gar nicht, guck mal, das eine Auto steckt ja rückwärts im Zement.«

»Welcome home. *Ahlan wa sahlan.*« Omar fährt in eine Hauseinfahrt in einer kurzen Straße. Sofort schlägt mir ein Schwall von Erinnerungen entgegen. Es ist unmöglich zu sagen, welche meine eigenen sind und welche aus den Geschichten stammen, die Barbara uns manchmal erzählt hat. Anekdoten von einem alten Zuhause. Welcome home. Und doch. Ich erkenne das Tor, obwohl es sicher nicht mehr dasselbe ist wie vor zwanzig Jahren. Es öffnet sich, nicht automatisch, wie man bei so einer luxuriösen Auffahrt erwarten würde, sondern langsam, erst ein Flügel, dann der zweite. Ein alter, gebeugter Mann mit tiefschwarzer Haut und schlohweißem Haar schiebt die schweren, schmiedeeisernen Gitter auf, sodass der Lexus durchfahren kann.

»Den müsstest du doch noch kennen«, sagt Omar und boxt mir gegen die Schulter.

Der Mann in dem grauen Thowb hebt den Kopf, wendet sich unserem Wagen zu und entblößt mit seinem breiten Lächeln eine Reihe großer strahlend weißer Zähne.

»Mußa?«, frage ich ungläubig.

Omar nickt grinsend. »*Abuya* hat ihn schon achtzigmal gefeuert und weggeschickt, aber er geht einfach nicht. Er sagt, er wird hier sterben, komme, was wolle. Im Sudan würden nur all seine Ehefrauen auf ihn warten und ihm das letzte Hemd vom Leib reißen.«

»*Ya Basha, ya* Basil«, ruft der Alte und schlurft vor zum Auto, um mir die Tür zu öffnen. Als ich aus dem klimatisierten Wagen steige, schlägt mir die Abendhitze schwer entgegen. »*Ahlan, Ahlan, ya Basha.* Du hast dich gar nicht verändert, *Mabrook, mabrook ya Akh al-Aroosa!*«

Ich schüttele ihm zitternd die ledrige, faltige Hand und nehme seine Glückwünsche entgegen. Ich will etwas sagen, aber die Worte bleiben irgendwo im Mund hängen. Meine

Kehle ist rau und trocken, und das Atmen fällt mir schwer. Mein Arabisch will nicht raus, die Worte wehren sich und ecken an, nur ein ganz leises *»Shukran, Allah yesalimak«* bringe ich zustande. Der alte Mußa ist schon alt gewesen, als wir noch Kinder waren und in diesem Hof gespielt haben. Seine Stimme und das laute Lachen gurgeln noch genau wie früher. Mit einem Mal spüre ich, wie mich eine unendliche Müdigkeit überkommt.

Kaum hat Mußa meine Hand losgelassen, um das Tor hinter uns zu schließen, öffnet sich auch schon die vordere Haustür. Mir fällt nur flüchtig auf, wie sehr sich das Haus verändert hat. Es ist in die Höhe gewachsen, aufgestockt um mehrere Etagen, Anbauten an der Seite, neue Fassaden und Fenster. Licht fällt in den Hof, der viel kleiner ist, als ich ihn in Erinnerung habe. Doch der Geruch von Oleander und abgestandenem Kondenswasser der Klimaanlagen ist noch derselbe. Die Zeit scheint einen Moment lang still zu stehen, und die Welt um mich herum beginnt sich zu drehen. Erinnerungen, zerbrechlich wie kleine Papierkraniche, das Gefühl in der Brust und in den Fingerspitzen, Kribbeln, als müsste etwas in mir implodieren.

Dann der Lärm. Aus der Haustür eilt – humpelt – meine Tante Basma, Omars Mutter, mit einer Hand ihr Kopftuch zurechtzupfend, die andere weit ausgestreckt nach mir. *»Ya Habibi. Ya Galbi, Hamdilla al salamah*, Gott sei Dank bist du sicher angekommen. Mein Gott, schau dich nur an, schau dich nur an.« Ich mache ein paar Schritte auf sie zu und sehe, dass sie Tränen in den Augen hat. Sie ist alt geworden. Und klein. Ob alte Menschen tatsächlich schrumpfen? Immer weniger werden? Oder ob es einem nur so vorkommt, weil man selbst so viel weiter weg ist von ihnen?

Sie küsst und umarmt mich. Hinter ihr in der Tür haben sich andere Familienmitglieder versammelt. Ich drücke die alte Frau an meine Brust, und gemeinsam gehen wir zum Haus. Einige Gesichter erkenne ich wieder. Gesichter, die ich seit einer Ewigkeit nicht gesehen habe und die trotzdem tief mit mir verwachsen sind.

Im Türrahmen, klein und fast verblasst hinter all den Gestalten, die sich nun auf mich stürzen, mir die Hände schütteln und mir auf die Schulter klopfen, steht Basmas Mann, Omars Vater. Mein Onkel Khaled, der Bruder meines Vaters. Er trägt nur ein weißes Unterhemd und einen grün karierten Futah, den er unterhalb seines ausladenden Bauches umgekrempelt hat. Den Arm um seine Schulter gelegt, ein unbekannt sanftes Lächeln auf den Lippen und ihr Kopftuch nur locker über ihre glänzenden schwarzen Locken drapiert, steht sie. Die Braut.

Layla

Ich erinnere mich an die Stadt vor allem im Regen. Was seltsam ist, denn es regnet hier höchstens einmal im Jahr. Aber vielleicht sind es gerade deshalb diese Erinnerungen, die so weit oben geblieben sind. Die Tage, in denen die Stadt überflutet war, weil die rudimentären Abwassersysteme ein paar Stunden Regen nicht verkraften konnten. Die Tage, an denen wir nicht zur Schule gehen konnten, weil die Innenhöfe überschwemmt und die Klassenzimmer feucht waren. Tage, an denen Layla und ich am Fenster unseres Kinderzimmers gesessen und nach draußen geschaut haben. Dorthin, wo junge Männer in ihren weißen Thowbs und Lederschlappen aus ihren Autos stiegen, um sie anzuschieben, die in den tiefen, mit Wasser gefüllten Straßen wie Containerschiffe dahinzutreiben schienen.

Stundenlang saßen wir auf bunten Plastikboxen und schauten nach draußen. Die Straßen hatten sich zwischen den hohen Gehsteigen zu reißenden Bächen verwandelt, und die Strömung spülte leere Plastikflaschen, Chipstüten und anderen Müll an uns vorbei.

Alles war trübgrau an solchen Regentagen. Selbst die Dattelpalmen und die Aprikosenbäume im Hof des Hauses gegenüber, die bunten Toyota-Pick-ups, die Gesichter der Menschen. Der diesige Regenschleier hatte die ganze Stadt überdeckt, und wir konnten nicht genug bekommen von diesem Anblick.

Der Abend rauscht über mich hinweg. Gesichter und Stimmen und noch mehr Gesichter. Viele kenne ich, älter gewordene frühere Gesichter meiner Cousins und Cousinen, meiner Onkel und deren Frauen. Kinder, die keine mehr sind, sondern junge Erwachsene, manche schon mit eigenen Familien.

Dreißig Leute sitzen um mich herum in dem neuen Salon im neu aufgestockten Haus. Früher hatte das Gebäude nur zwei Etagen, heute hat es sieben, und ein Aufzug führt von der Lobby im Erdgeschoss geradewegs in das Penthouse meines Onkels und meiner Tante im siebten Stock.

Mir werden Hände gereicht und Teegläser, der Fernseher, nicht viel kleiner als eine mittlere Kinoleinwand, zeigt alte Schwarz-Weiß-Mitschnitte eines Um-Kalthum-Konzerts. Unser Vater hat ihre Lieder immer im Auto gehört, bis wir dann irgendwann anfingen, ihm unsere Kinderkassetten aufzudrängen.

Vor dem Fernseher haben sich die Kinder und ihre jungen Mütter versammelt, sie spielen mit iPhones, iPads und Plastikrasseln.

Um Kalthum, *Old McDonald Had a Farm* aus den iPhones, lautes Lachen, hitzige Gespräche und die Rufe nach den Dienstmädchen bringen den überfüllten Salon fast zum Bersten. Trotz der voll aufgedrehten Klimaanlage rinnt mir der Schweiß von den Schläfen.

Teller mit Datteln, Nüssen und Gebäck machen die Runde. Es riecht nach saudischem Kaffee aus ungerösteten Bohnen und Kardamon, und ich suche in der Menge der Menschen, die mich von einem Sofa zum nächsten ziehen, Laylas Gesicht.

Da sitzt sie, am Kopf des Raums, neben meinem Onkel Khaled. Ihr Kopftuch hat sie inzwischen abgelegt und es einem der Mädchen zum Spielen gegeben. Die Kleine wickelt sich lachend und quietschend in das hellblaue Tuch, dreht sich ununterbrochen vor Layla im Kreis, zupft an den kleinen Perlen am Saum des Stoffes und streckt immer wieder eine Hand nach meiner Schwester aus. Sie lacht mit der Kleinen, klatscht in die Hände und singt Zeilen eines arabischen Kinderlieds. Die Kleine lacht noch lauter und klatscht unbeholfen den Takt mit. Dabei verheddert sie sich in dem Kopftuch, verliert das Gleichgewicht und fällt rücklings auf den Teppich.

Meine Tante Basma redet über mich hinweg auf Omar ein, der an meiner anderen Seite sitzt, und ich schaue Layla weiter dabei zu, wie sie und Onkel Khaled mit dem kleinen Mädchen spielen. Ihr Gesicht wirkt weicher. Ihre Züge weiblicher. Selbst unter der weiten, weißen Bluse kann ich sehen, dass sie ein paar Kilo zugenommen hat. Ihre Nägel sind sorgsam gefeilt und hellrosa lackiert, sie trägt den goldenen Verlobungsring. Es ist, als hätte sie ihr Erbe auch körperlich angenommen. Ihre Gesten ähneln denen meiner Cousinen und Tanten, sie lacht laut und von innen heraus. Und selbst nach all den Jahren ohne die Sprache kann ich hören, dass ihr Arabisch nahezu akzentfrei ist. Fast mühelos wirkt sie hier, wie eine stärkere, mutigere Version ihrer selbst.

Über ein Jahr ist es her, dass wir uns zuletzt gesehen haben. Eines Tages stand sie einfach vor meiner Tür. Klein, zierlich, mit einer schweren, braunen Ledertasche in der Hand, die doppelt so schwer wirkte wie sie selbst. Layla hat meinen alten Parka getragen, den ich ihr mal aus einem Secondhandladen in London mitgebracht habe. Den Parka und ein blaues Leinenkleid.

»Ist er da?«, hatte sie gefragt.

»Alex wohnt nicht mehr hier.«

Erst als ich das gesagt hatte, war sie reingekommen. Mit ihren schnellen, akkuraten Bewegungen, die sie von unserer Mutter geerbt hatte, war sie in die Küche vorgelaufen. Sie hatte ihre Tasche und den Parka abgelegt und war im Bad verschwunden. So vertraut bewegte sie sich, als wäre sie nie fort gewesen. Im Vorbeigehen hatte sie einen Stapel ungeöffneter Post von der Kommode im Flur hinuntergeworfen und nicht wieder aufgesammelt.

Damals hatte sie mir zum ersten Mal von ihren Plänen erzählt. Ich hatte Tee gekocht, und sie hatte gelacht und den Whisky aus dem Schrank unter der Besteckschublade geholt.

»Glaub mir, Basil, den brauchen wir beide heute.«

»Basil, *ya Basha!*« Omar schubst meine Erinnerungen zur Seite. »*Basha*, deine Tante spricht mit dir.«

Omar lacht. »Vielleicht müssen wir dir doch noch einen Übersetzer besorgen für die kommende Woche«, sagt er auf Englisch.

»Wird schon gehen«, sage ich lächelnd, ebenfalls auf Englisch. »Ich bin nur müde und war kurz etwas weggetreten.«

»*Ya Ummy*, Basil ist müde«, sagt Omar nun zu meiner Tante auf Arabisch.

»*Habibi*, natürlich bist du müde.« Meine Tante tätschelt mir die Wange. »*Hamdillah al-Salamah*, was für eine lange Reise. Nimm noch einen Kaffee.« Bevor ich ablehnen kann, hat sie mein kleines, goldverziertes Kaffeetässchen nachgefüllt. »Hast du schon mit der Braut gesprochen?«

»Noch nicht«, sage ich.

»*Alhamdulillah, ogbalak, Habibi, Inshallah* findest du auch bald eine Braut. Layla, *Habibti, kallimi achoki!* Sprich mit deinem Bruder.«

Tante Basma rückt beiseite, und meine Schwester setzt sich neben mich. Die Kleine mit dem blauen Kopftuch, das sie jetzt als Röckchen um sich gewickelt trägt, blickt ihr etwas enttäuscht hinterher und versteckt ihr Gesicht dann verschämt in Onkel Khaleds Schoß, als ich ihr entschuldigend zulächle, weil ich ihr ihre Spielkameradin abspenstig gemacht habe.

Einen Moment lang schweigen wir uns an. Layla dreht verlegen an einem ihrer Ohrringe und nimmt sich dann ein Stück Pistaziengebäck von meinem Teller, bricht es in zwei Hälften und hält mir die eine hin. Erst jetzt fällt mir auf, dass wir uns gar nicht richtig begrüßt haben.

»Na, kannst du noch?«, fragt sie und steckt sich das Gebäck in den Mund.

Ich zucke nur mit den Schultern. »Ich bin einfach wahnsinnig müde. Fühlt sich komisch an, auf einmal wieder hier zu sein.« Auch ich beiße ein Stück von meiner Gebäckhälfte ab, obwohl mir längst etwas übel ist von den Datteln, dem Kaffee, dem Lärm und der Hitze. Mein Zeitgefühl hat sich vollständig aufgelöst. Sitzen wir seit zwei Stunden hier oder schon vier? Ist es noch vor Mitternacht oder längst viel später? Die Zeit ist an keinem der Gesichter abzulesen, die Kinder toben wach und aufgedreht durch den Raum, und auch die Gespräche um uns herum werden nicht leiser.

»Ich weiß, was du meinst«, sagt Layla und lächelt. »Ging mir damals auch so. Ich versuche, dich gleich einfach in dein Zimmer zu schmuggeln.«

Sie streichelt mir sanft den Rücken, was sie in all den Jahren noch nie getan hat. Wir schauen uns kurz an. Ihre Augen leuchten, fast ein bisschen golden. Kleine Fältchen haben sich in den Augenwinkeln gebildet. Ihre Sommersprossen sind nahezu verblasst, trotzdem sieht sie schöner und frischer aus, als ich sie je gesehen habe. Eine einzelne Wimper hat sich auf ihre rechte, blässliche Wange verirrt.

»Wann gibt's denn die große Vorstellungsrunde? Wollte dein Verlobter heute nicht kommen?« Ich versuche, so selbstverständlich wie möglich zu klingen. Ich sage »Verlobter«, auch wenn ich seinen Namen kenne. Der gesamte Satz klingt falsch, als ich ihn ausspreche.

»Er hat sich freiwillig zurückgezogen. Sonst hätten die Frauen nicht so einfach hier sitzen und ihre Tarha abnehmen können. Noch gehört er ja nicht offiziell zur Familie. Und sie wollten dich einfach alle begrüßen. Du wirst hier vermisst.«

Und du wirst zu Hause vermisst, will ich sagen, halte aber den Mund.

»Er kommt morgen Abend, nach dem *Maghrib.* Dann gibt's Essen, und hinterher geht ihr alle unten auf der Terrasse Shisha rauchen und Karten spielen und was weiß ich alles, und da wirst du ihn alles fragen können. Was er sich dabei denkt, deine verrückte kleine Schwester heiraten zu wollen, zum Beispiel.«

»Und was denkt sich meine verrückte kleine Schwester dabei, einen saudischen Ingenieur zu heiraten und ans andere Ende der Welt zu ziehen?«

Die Frage rutscht mir unabsichtlich heraus, und mir tun meine Worte sofort leid. Aber Layla weicht meinem Blick nicht aus. Sie schaut mich fest an, in ihren Augen blitzt ganz kurz diese wütende Entschlossenheit auf, die ich so gut kenne. »Ich bin glücklich hier, reicht das nicht?« Ihre Stimme klingt kühl. Dann legt sie mir die Hand auf den Arm, als wollte sie sich entschuldigen.

»Ich bin jetzt zu müde dafür«, sagt sie, nun wieder ganz sanft. »Die Vorbereitungen machen viel Arbeit, und deine Ankunft hat alle in Aufregung versetzt. Nebenbei muss ich mich auch noch damit abfinden, dass meine Mutter sich weigert, zu meiner Hochzeit zu kommen. Und jetzt zeig ich dir dein Zimmer, komm.«

»Gute Nacht, *ya waladi*«, ruft Tante Basma durch den Raum, als sie sieht, wie wir uns von den dicken Polstern erheben. Ich winke einmal in die Runde, lächele. Die anderen winken zurück und wünschen mir segensreichen Schlaf.

Barbara

Ihre Eltern lassen sie taufen, im Namen Gottes, auf den Namen Barbara. Barbara geht in den Kindergarten und fährt zur Sommerfrische mit der Kirchengruppe an die Ostsee. Barbara trägt die blonden Haare zu Affenschaukeln geflochten und mit Schleifen an dem kleinen, pausbäckigen Kopf befestigt, als sie mit dem älteren Bruder vor dem VW Käfer ihrer Eltern am Lago Maggiore posiert. Der Vater hatte ein paar Hundert Mark beim Fußball-Toto gewonnen und den himmelblauen Wagen gebraucht gekauft.

Barbara wächst auf als Tochter eines Bergmanns und einer Hausfrau in einer kleinen Stadt, im Nachkriegsgrau des Ruhrgebiets. Ihre Mutter kocht Steckrüben und Schweinebauch, und auf dem Wohnzimmerofen des kleinen Zechenhauses ist immer ein großer Topf mit süßem Milchreis. Für andere Süßigkeiten fehlt der Familie das Geld. Die erwachsene Barbara kann Milchreis auf den Tod nicht ausstehen.

Eines Winters in den 1960er Jahren, steht die Familie eines Onkels vor der Tür, mit Sack und Pack und drei Kindern. Sie sind bei Nacht und Nebel aus der DDR gekommen, aus der Zone, wie Barbaras Mutter sagt, sie würden nun bei der Familie im Zechenhaus wohnen. In den vier kleinen Zimmern stapeln sich ein Jahr lang sechs Kinder und vier Erwachsene. Die Frauen polieren täglich die taubglasigen Fenster. Dabei tragen sie geblümte Schürzen oder welche mit roten Kirschen oder eingestickten Ranken. Im Haus riecht es nach Kohl und Kohle, nach Bleiche und frisch gebackenem Brot. Die Kinder werden nach draußen geschickt, im Haus sind sie nur im Weg, und sie erledigen ihre Hausaufgaben im Gemeindehaus nebenan. Spurt jemand nicht, bekommt er mit dem nassen Putzlappen einen oder zwei gezielte Schläge gegen die nackten Kinderbeine.

An den Außenmauern des Hauses machen sich schon erste Bergschäden bemerkbar. Dünne Risse ziehen sich an dem weiß getünchten Mauerwerk entlang, von unten links nach oben rechts. Barbaras Bruder erzählt seiner Schwester und den Zonencousins, dass dort Schlangen leben. An den Rändern der Schlangenwege wächst grünes Moos.

»Die Schlangen kommen nachts in eure Betten gekrochen«, sagt er. »Die hören nur auf die Großen, wir können denen sagen, dass sie verschwinden sollen. Aber dafür müsst ihr für mich morgen das Auto waschen.«

Mit sechzehn beendet Barbara die Volksschule und beginnt ihre Ausbildung zur Krankenschwester. Sie zieht aus dem kleinen, engen Zechenhaus und ins Lernschwesternwohnheim des St. Ansgar Hospitals. Zum ersten Mal ist ein bisschen mehr Platz in Barbaras Leben, trotz der vielen anderen Mädchen. Keine Schlangen in den Wänden, keine Putzlappen gegen Kinderbeine.

Im Schwesternheim gibt es einen Beatkeller. Barbara und ihre Freundin Anke schleichen sich an den freien Mittwochnachmittagen heimlich in die kleine Stadt, legen ihr Geld zusammen und kaufen Platten von Udo Jürgens und Neil Diamond. Vier Mark für die Single, die dann jeden Abend zwischen den Zimmern hin und her gereicht wird. Barbara kürzt heimlich ihre Röcke und raucht zusammen mit den anderen Mädchen auf dem Heimweg von der Stadt Zigaretten aus dem Fünferpack. Sie ahnt, dass es jetzt anfängt, dass das Zechenhaus Geschichte sein kann und dass die kurzen Röcke und die Beatplatten nun das Leben sind. Die schlecht gelaunten Nonnen im Schwesternheim machen ihr keine Angst, es gab schon mehr Bedrängnis in Barbaras Leben.

Während der Ausbildung verlobt sie sich mit ihrem Jugendfreund. Sie schätzt ihn sehr, und ihr Vater nennt ihn solide, weil er irgendwann den Betrieb seiner Familie übernehmen wird. Ein Haus wird er kaufen können, ein Auto hat er schon. Ihre Eltern kennen sich und feiern Silvester zusammen. Man sieht sich manchmal in der Kirche, da tauschen sich die Mütter über die Nachbarn aus und über den gestiegenen Preis von Milch und Rahmkäse. Auch Barbaras Freundin Anke wird demnächst heiraten. Ordnung ist wichtig in den Gärten der Zechenhäuser, wo der Kohl in geraden Reihen wächst und die Wäsche nur am Samstag aufgehängt wird. Von dem jungen Assistenzarzt, mit dem sie immer öfter die leeren Stunden während der Nachtschichten verbringt, spricht sie zu Hause nicht. Nie fällt sein seltsam klingender Name: Tarek.

Am Geburtstag von Barbaras Mutter steht der Jugendfreund mit einem Strauß Pfingstrosen vor der Tür und sagt: »Ich wollte mich nur von euch verabschieden.«

Barbaras Mutter versteht nicht, was er meint.

»Deine Tochter heiratet. Den arabischen Arzt aus dem Krankenhaus«, sagt er, übergibt seine Pfingstrosen und geht.

»Und das soll irgendetwas erklären, Basil?«
»Vielleicht, Layla. Ich weiß nur nicht, was.«

Freitag

Ich öffne die Augen und weiß nicht, ob es schon Morgen ist. Um mich herum ist es stockduster. Ein leises, surrendes Husten hatte mich geweckt, und es dauert einen Moment, bis ich die Klimaanlage als Quelle des Geräuschs identifiziere. Die Umrisse des Raumes werden langsam deutlicher, und ich kann die schwere Kommode mit dem Spiegel ausmachen. Unter der Tür wischt ein schmaler Strahl Sonnenlicht über den glatten Marmorboden. Ich taste nach meinem Handy auf dem Nachttisch. 11:07 Uhr. Auf dem Display werden mehrere SMS angezeigt:

Mobily heißt Sie herzlich willkommen in Saudi-Arabien.
Ihre Tarife für lokale Gespräche sind ...

Ihre O2-Kurzmitteilungen kosten Sie in Saudi-Arabien
nur 2,45 Euro.

Bist du gut angekommen? Meld dich doch kurz. J.

Ich reibe mir die Augen und tippe eine knappe Antwort an Juli:

Gut gelandet, ist spät geworden. Bis denn, B.

Ich weiß, dass Juli lieber längere Nachrichten von mir bekommt. Manchmal schreibe ich ihr welche, meistens nachts, aus der *Koje*, wenn nichts los ist. Ich schreibe ihr dann auf, was alles grad nicht passiert in der Bar und was vielleicht grad auf dem Kiez nebenan passiert und dass ich wieder mehr lesen sollte.

Aber von hier kann ich ihr keine langen Nachrichten schreiben. Dass mich die Klimaanlage morgens weckt und das Haus aussieht wie die wildgewordene Version eines Grandhotels, dafür hätte Juli zu viel Verständnis. So, wie sie für alles in meinem Leben zu viel Verständnis hat, während mich ihres oder das, das wir zusammen haben könnten, immer weniger interessiert. Ich beschließe aufzustehen, um nicht weiter an sie zu denken.

Mein Schlafzimmer, das neue Gästezimmer, besitzt ein eigens angeschlossenes Bad. Tante Basma hat nicht nur Handtücher in allen Größen, sondern auch Kleenex, Duschgel, Shampoo, Badeschaum, Zahnpasta, Sonnencreme, Q-Tips, Rasiergel und zwei nagelneue, noch verpackte Zahnbürsten hingelegt. Auf der Spiegelablage steht sogar eine Flasche Old Spice. Aus meiner Jackentasche fische ich meine halb leere Packung Marlboro, öffne die kleine Lichtluke über der Badewanne, schließe verstohlen die Badezimmertür und zünde mir eine Zigarette an. »Pass ein bisschen auf mit den Kippen. Die rauchen hier alle heimlich, also nicht vor Khaled und Basma«, hatte Layla mir in der Nacht gesagt, als sie mich zu meinem Zimmer brachte. »Absurd, oder? Weißt du noch früher? Da wollte ich immer nur deshalb anfangen zu rauchen, weil Tante Basma mit ihren knallroten Fingernägeln und diesen dünnen, weißen Zigaretten so wahnsinnig elegant aussah. Jetzt ist das Rauchen vom Teufel, und jeder, der erwischt wird, bekommt eine Predigt zu hören. Die werden eben auch alt.«

Sie hatte gelacht, aber auch etwas verlegen mit den Fingern ihre Locken gezwirbelt.

Geduscht und angezogen gehe ich ins Wohnzimmer. Das Old Spice habe ich nicht angerührt.

Der Raum ist angenehm runtergekühlt. Mit dem Tageslicht kommt auch ein neuer Anblick zum Vorschein. Die vier Meter hohen Fenster in dem halbrunden Erker, die mir gestern nur aus dem Augenwinkel aufgefallen sind, gehen allesamt auf das Meer hinaus, auch wenn man inzwischen kaum noch Küste, dafür aber sehr viele halbfertige Hochhäuser, Malls und Hotels sieht. Früher, als die Stadt drumherum noch nicht so hoch war, konnte man vom Balkon auf der ersten Etage die gesamte Hafenpromenade überblicken. Da war das Haus schmucklos gewesen, die Fliesen aus Stein, die Balkongitter aus Holz, durch die salzige Meeresluft verwittert. Man konnte die Glastüren einfach aufschieben, hinter allen Fenstern hatten sich zerrissene Fliegengitter befunden.

Die neue Tür zum neuen Balkon ist abgeschlossen, ich rüttle ein wenig an dem Hebel, aber es bewegt sich nichts.

Der Balkon ist breit geschnitten, mit rötlichem Marmor ausgelegt und staubig. Alles in dieser Stadt ist immer staubig. Vermutlich betritt niemand jemals den neuen Balkon.

Draußen ist kaum etwas los. Nur von der gegenüberliegenden Schule dringen ein paar Rufe durch die Scheiben. Die wenigen Autos auf den kleinen Straßen fahren unaufgeregt um den neu bepflanzten Kreisverkehr. Ich stelle mir vor, wie die Stadt um das alte, kleine Haus herum gewachsen ist, wie sie angefangen hat, es in den Schatten zu stellen, und wie das Gebäude dann aufholen, nachlegen musste, Etage für Etage. Onkel Khaled ist stolz auf sein neues Haus, das konnte ich gestern in seinem Gesicht sehen. Ein Lebenswerk, sieben Stockwerke, alle seine Söhne mitsamt Familien unter einem Dach, jeder in seiner eigenen Etagenwohnung, und die Eltern, Basma und Khaled, über allem, über den Dingen und über den Söhnen, in ihrem zweistöckigen Penthouse mit goldverzierten Treppengeländern, mit Messing ausgeschlagenen Aufzügen und Möbeln, die aussehen als kämen sie direkt aus Versailles. Mir fällt ein, dass ich nicht einmal weiß, in welchem der vielen Stockwerke ich Layla finden könnte, bei welchem der Cousins sie eingezogen ist bis zu ihrer Hochzeit. Ich denke an unsere WG auf St. Pauli, an den rauschenden Boiler im Bad, der nur zehn Minuten lang heißes Wasser abgibt, an unsere zusammengewürfelten Küchenstühle und den leichten Schimmel an den Fensterrahmen. Alex wäre in dieser Umgebung grenzenlos überfordert und hätte keine Ahnung, wie er mit all dem Protz umgehen soll.

Der Salon ist leer und sehr sauber, die Teppiche sind frisch gesaugt und die rot-goldenen Polster ordentlich aufgeschüttelt nebeneinander aufgereiht. Von den Gläsern, Tellern und Kannen ist keine Spur mehr zu sehen. Es herrscht eine eigentümliche Stille, nichts erinnert mehr an die laute, überhitze Atmosphäre von gestern. Ich strecke beide Arme in die Höhe, stelle mich auf die Zehenspitzen und mache dann ein paar Schritte an der Teppichkante entlang. Dabei hebe und senke ich die Arme immer wieder und schaue mich in dem Raum um, den ich gestern vor lauter Menschen und Gesichtern kaum zur Kenntnis genommen habe.

In den Regalen um den großen Fernseher herum stehen gerahmte Bilder von sämtlichen Enkelkindern in ihren Schuluniformen, manche halten ein Zeugnis in der Hand, alle lächeln steif, aber triumphierend in die Kamera. Auf der linken Seite entdecke ich ein Bild von Layla und mir. Es muss mindestens zehn Jahre alt sein, ich trage noch meine schwarze Hornbrille, und Laylas Augen sind mit schwarzem Kajal dick umrandet, was sie nicht mehr tut, seit Alex sich einmal lustig über ihre »Panda-Bemalung« gemacht hat. Wir sitzen an Barbaras Küchentisch, ich halte ein Messer in der Hand und schneide eine Torte an. Die Schwarzwälderkirschtorte unserer Großmutter, die sie zu jedem unserer Geburtstage gebacken hat.

Selbst als Layla fünfundzwanzig wurde und unsere Großmutter schon gebrechlich war, gab es so eine Torte. »Sonst ist es doch kein richtiger Geburtstag«, hatte unsere Oma gesagt. Auf dem Foto ist nur ihre Hand zu sehen, am rechten Bildrand, sie hält ein Geschirrtuch und wischt sich die Finger ab.

Layla schaut mich an und lächelt, ich schaue die Torte an und lächle ebenfalls. Das Bild wirkt grotesk und deplatziert zwischen all den schuluniformierten Kindern, und ich möchte es am liebsten abnehmen.

Auf dem niedrigen Glastisch in der Mitte des Raumes stehen fünf runde Glasbehälter in verschiedenen Größen. Ich hebe den Deckel von einem ab. Er ist überraschend schwer. Kristall, denke ich, und nehme mir eine Dattel mit Karamellfüllung.

»Sabah el-Kheir, ya Basil!« Ich zucke zusammen. Mary, das philippinische Dienstmädchen, kommt auf mich zu und reicht mir leicht verschämt die Hand. Aus einem Reflex heraus halte ich ihr die Dattel hin, ziehe sie aber sofort zurück. Sie lacht. »Ich wollte dich nicht erschrecken. *Ana asifa*, entschuldige. *Kayf al-Nom, kayf halak, tayyeb inshallah?«*

»Mary! Wow, how are you? Gestern haben wir uns gar nicht gesehen«, sage ich auf Englisch und umarme die kleine Frau. Es ist ein bisschen wie bei Mußa. Als wäre ich nie weg gewesen, als hätten sie jeden Tag auf mich gewartet und wären dann, kurz vor meiner Ankunft, alle zusammen plötzlich gealtert.

Mary kennt uns alle schon, seit wir klein waren. Wenn meine Tante uns in Deutschland besucht hat, war Mary dabei. Sie hat sämtliche Kinder, Enkel und Urenkel dieser Familie groß werden sehen. Und ihr Geld immer heimgeschickt, auf die Philippinen, wo ihre eigenen Kinder sind.

Einmal, wir waren vielleicht sechs oder sieben Jahre alt, mein Cousin Ali und ich, und es war Freitag, der Tag, an dem jede Woche mit der ganzen Familie bei Onkel Khaled gegessen wurde. Das war noch im alten Haus, natürlich, und wir waren mit dem Essen schon fertig. Die Männer hatten sich in den unteren Salon zurückgezogen, Mußa hatte die großen Shishas gebracht, und im ganzen Haus hatte sich der Geruch des Tabaks mit dem Essensgeruch gemischt. Trockenobst, Holzkohle, Zitrone und Knoblauch. Die Zitrone kam von dem Reinigungsspray, mit dem die Mädchen immer die Tischdecken abwischten.

Die Frauen tranken im Salon Tee, spielten Karten und redeten viel, und Ali und ich hatten eine Mission: das Haus erkunden. Wir schlichen uns heimlich die Treppe im Flur nach oben. Es war unheimlich, da niemand von uns wusste, was sich dort befand. Manchmal kam Mary herunter und brachte frisch gebügelte Wäsche mit. Wir hatten uns bisher immer nur einen Treppenabsatz hoch gewagt. Der obere Absatz war immer dunkel, es schien auch kein offener Raum zu folgen, wie im Rest des Hauses am Ende jeder Treppe. Nur eine schwere Holztür, vor der sich Taschen, Pappkartons und einige Paar Plastikschlappen stapelten. »Komm, wir gehen ganz nach oben«, hatte Ali geflüstert. »Omar sagt, da oben sind die ganzen alten Spielsachen.«

Ich war etwas misstrauisch gewesen. Omar führte uns ständig an der Nase herum. Trotzdem wollte ich mutig sein und mich vor meinem Cousin nicht blamieren. Also schlichen wir die Treppen hinauf, schauten uns immer wieder nach hinten um, ob uns auch niemand beobachtete. Wir fühlten uns kühn und abenteuerlustig, als wir die Messingklinke der schweren Holztür nach unten drückten und die Tür ein Stückchen öffneten. Wir schoben unsere kleinen Köpfe vorsichtig durch den Spalt.

Da hinter befand sich kein geheimes Spielzeuglager und auch keine Terrasse mit Hühnern und Ziegen, wie ich insgeheim gehofft hatte. Lediglich ein dunkles, karges Zimmer, ausgelegt mit zerschossenen Baumwollteppichen. In einer Ecke stand ein großes Bügelbrett. An der gegenüberliegenden Wand waren vier Metallbetten aufgestellt, daneben jeweils dunkle Holzstühle, über deren Lehnen T-Shirts und Hosen gehängt waren. Wir traten weiter in den Raum, und Ali schien sichtlich enttäuscht. Während ich näher an die Betten herantrat und mir die Bilder ansah, die mit Tesafilm an die Wand geklebt waren, blieb er in der Mitte des Zimmers stehen und verschränkte die Arme. Durch das Fenster fiel die grelle Nachmittagssonne. »Ach Mann, hier wohnen ja nur die *shaghalat«*, sagte er. »Hätten wir uns auch denken können. Wo sollten die sonst schlafen.«

Ich hatte noch nie das Zimmer der Dienstmädchen betreten. Weder bei uns zu Hause noch sonst wo, und ich war aufgeregt und fühlte mich zugleich etwas schuldig. Rosa, unser Dienstmädchen, hatte ihren Raum in einem kleinen Pavillon hinter unserem Haus, und Barbara achtete streng darauf, dass wir uns nicht dorthinein schlichen. »Das macht man nicht. Das ist das Zimmer von Rosa, da habt ihr nichts zu suchen«, sagte sie.

Damals hatte Mary auch schon für meine Tante gearbeitet, und ich stand auf einmal vor ihrem Bett, vor ihrem Kleiderstuhl und vor ihren Bildern, die sie an ihr kleines Stückchen Wand geklebt hatte. Da waren bunte und schwarz-weiße Fotos von Kindern, von lachenden philippinischen Gesichtern, Postkarten und Zeitungsausschnitte mit Buchstaben, die ich damals nicht zuordnen konnte. Ganz am äußersten Rand der kleinen Collage klebte eine schon etwas abgegriffene, speckige Speisekarte. Ein rotes Blatt mit einer Auflistung in dieser fremden Schrift, aber es waren Bilder von Tellern mit Nudeln, Reis und Fisch darauf, und Zahlen, die vermutlich Preise bezeichneten.

»Komm, wir gehen wieder runter, hier gibt es nichts«, hatte Ali gesagt und mich wieder zur Tür hinausgeschoben. Wir waren die Treppe genauso leise, wenn auch schneller, wieder hinuntergeschlichen und hatten uns zu den anderen Cousins und Cousinen in eines der kleinen Wohnzimmer gesetzt, wo die Nintendo-Konsole stand. Als Mary und eines der anderen Dienstmädchen hineinkamen, starrte ich angestrengt und etwas verschämt auf ein kleines Loch am Knie meiner Jeans.

»Wie war die Reise? Gut, *inshallah?«,* holt Mary mich aus meinen Gedanken zurück. »Hast du gut geschlafen? *Mashallah*, so erwachsen, so stattlich. *Mabrook* zur Hochzeit, *mabrook!*«

»Danke«, antworte ich, jetzt auch auf Arabisch. »Es ist schön, dich zu sehen, *mashallah.*« Ich weiß nicht, wann ich zuletzt von Allah gesprochen habe, bin aber erstaunt, wie leicht es mir fällt, die altbekannten Floskeln wieder anzunehmen. »Geht es dir gut? Wie geht es den Kindern, deiner Familie? Hast du noch dein Restaurant?«

Mary errötet und lächelt ein bisschen stolz. »Sieben Enkelkinder, *mashallah, ya* Basil, sieben! Und das Restaurant hat jetzt noch zwei Filialen, jeden Tag voll, *Alhamdulillah*, meine Söhne führen es. *Inshallah* kommt ihr alle irgendwann, und ich koche dort für euch.«

»Dein Essen ist das beste, das es gibt, Mary. Ich bin froh, dass du noch hier bist!«

Sie nickt dankend und drückt meine Hand fest mit ihren beiden kleinen Händchen.

»Kaffee? Tee? *Fatur?«,* fragt sie schließlich.

»Ja, gern. Schläft mein Onkel noch? Wo sind alle?«

»Khaled *Baba* ist in seinem Büro, und Miss Layla bei Mama Basma: wedding preparations.« Mary kichert. »Ich rufe sie gleich an. Frühstück kommt sofort, *ya* Basil.«

Die zwei anderen Dienstmädchen, deren Namen ich vergessen habe, erscheinen wie aus dem Nichts, schieben einen kleinen Klapptisch aus dem Aufzug und tragen Tabletts ins Wohnzimmer. Es riecht wie früher, nach dem frischen Brot, den Oliven, die Mary selbst einlegt.

Hinter den Mädchen kommt Layla aus dem Aufzug.

»Na, auch schon aufgestanden?« Sie trägt eine enge Jeans und eine weiße Bluse mit aufgestickten lila Rosen. Ihre Haare sind einen Hauch schwärzer als in meiner Erinnerung, schimmern fast ein wenig blau.

»Ich war wirklich platt, und das Zimmer war so dunkel und das Haus so still. Es hat mich ja auch niemand geweckt.«

»Keine Sorge, ist doch gar nicht schlimm. Die sind sowieso bis über beide Ohren beschäftigt mit Einkäufen, Anrufen und Planungen.«

»Bei wem wohnst du eigentlich?«, frage ich und steckte mir die Dattel in den Mund, um sie endlich loszuwerden.

»Ach, bei Omar und seiner Frau sind zwei Zimmer frei, seit der Älteste in New York studiert«, sagt Layla. »Da bin ich letztes Jahr eingezogen. Ich mag seine Frau sehr, wir verstehen uns gut, und da habe ich ein bisschen mehr Privatsphäre als hier.« Sie grinst mich verschwörerisch an. »Aber die ersten Monate habe ich in demselben Zimmer geschlafen wie du jetzt.«

Wir sitzen an dem kleinen Tisch, Layla im Schneidersitz auf dem hellen Buchenstuhl, fischt mit den Fingern Oliven und kleine Stücke weißen Käse aus den Schüsselchen und steckt sie sich in den Mund.

Als sie meinen leicht angeekelten Blick bemerkt, lacht sie. »Kannst du es immer noch nicht haben, wenn man mit den Fingern im Essen rumstochert?«

»Daran wird sich nie etwas ändern. Nimm doch dein Besteck!«, sage ich und schüttle den Kopf.

»Hab ich mir hier so angewöhnt. So macht essen irgendwie mehr Spaß. Solltest du mal versuchen.«

Laylas Lachen versteckt sich hinter nichts. Zu Hause in Hamburg haben wir immer zu dritt gefrühstückt, Layla, Alex und ich. Es war unser Ritual, bevor jeder sich mit seinen eigenen Sachen beschäftigte. Gesprochen haben wir dabei selten viel, meistens nur Zeitung gelesen, aus dem Fenster geschaut und uns gegenseitig mit Brötchenkrümeln beworfen.

»Onkel Khaled möchte gern, dass du gleich mit in die Moschee gehst zum Freitagsgebet«, sagt Layla nach einer Weile. »Und morgen nach dem Frühstück machen wir noch einen Ausflug.«

»Warum das denn?«

»Damit wir alle noch mal rauskommen vor der großen Party, und damit du mal was siehst von der Stadt.«

»Nein, ich meine das Freitagsgebet? Muss das sein? Ich hab doch keine Ahnung, wie man betet. Außerdem trifft mich da bestimmt der Blitz. Immerhin arbeite ich in einer Bar.«

»Du musst ja nicht beten. Mach einfach den anderen alles nach, so schwer ist das ja nicht. Verbeugen, hinknien, aufstehen, das Ganze dann dreimal, und dann hast du es geschafft. Onkel Khaled ist das wirklich wichtig, Basil. Er hat die Verantwortung für dich, solange du hier bist, und muss dafür sorgen, dass du nicht in die Hölle kommst.«

Ich runzle die Stirn. Sollte das ein Witz sein?

»Mach dich ruhig lustig, aber er ist alt. Und fromm, so richtig fromm. Er glaubt, er verliert dich, weil er dich irgendwann im Paradies nicht wieder trifft. Und du bist der Sohn seines Bruders. Er schuldet es ihm, dafür zu sorgen, dass wir uns im Jenseits alle wiedersehen. Mach es einfach ihm zuliebe. Oder zumindest mir zuliebe.«

»Geht ihr nicht in die Moschee?«

»Tante Basma ist zu wacklig auf den Beinen. Wir beten hier zu Hause und schauen die Predigt im Fernsehen an.«

Wir trinken unseren Tee, und Layla erzählt von der Hochzeit. Von dem Saal, den sie gemietet haben, dem Kleid, den Blumen und dem Essen. Sie plaudert harmlos und ein bisschen verschämt, und während ich ihr zuschaue, wie sie umständlich einen Apfel schält und in Spalten schneidet, erkenne ich plötzlich Barbara in ihren Zügen, Sätzen und Bewegungen. Das konzentrierte Schälen der Frucht, das Ausweichen und über große Fragen hinwegreden. Layla hat nie daran geglaubt, ihre Gefühle zu verstecken. Nun sitzt sie vor mir, schält schweigend ihren Apfel und versteckt sich vor mir. Am liebsten hätte ich ihr das Schälmesser aus der Hand genommen, ihre Hand gepackt und sie gefragt, was zum Teufel wir hier gerade veranstalten. Aber bevor ich anfangen kann, sagt sie: »Komm, du musst dich fertig machen, Onkel Khaled wird dich jeden Moment abholen.«

Abendlied

Layla hat dem Schneider meine Maße für den Thowb gegeben, und sie hat gut geschätzt. Abgesehen von den etwas zu langen Ärmeln passt er nahezu perfekt. Der weiße, glatte Stoff fühlt sich seltsam vertraut an, die Manschettenknöpfe sind blitzschnell eingehakt und umgedreht, als hätte ich in den letzten Jahren nie etwas anderes getragen. Das Unterhemd und die weiße Baumwollhose sind frisch gebügelt, mit akkurater Falte in den Beinen. Ich hebe den rechten Unterarm und rieche am Ärmel. Chlorex und Bügelstärke. Der Arm sinkt wieder in Richtung Körper ab, und die linke Hand fährt verlegen durch mein ungekämmtes Haar. Der Mann im Spiegel hat nichts mit dem Barkeeper aus der *Koje* zu tun, trotzdem kommt er mir bekannt vor.

Ich überlege gerade, ob ich noch Zeit habe, mich zu rasieren, als es zaghaft an der Tür klopft.

Mary steckt verlegen den Kopf durch die Tür, sagt: »Ich soll dir die hier geben«, und hält mir ein Paar Lederschlappen hin.

Shibshib, fällt mir die arabische Bezeichnung ein. Ein Wort wie eine Bewegung, wie ein Geräusch. Ich nehme sie in die

Hand, befühle das weiche Leder der Schlaufe. Mein Vater hat gerne extravagant verzierte Schlappen getragen, die er sich von einem Schuhmacher in der Altstadt speziell anfertigen ließ. Er hat mich oft dorthin mitgenommen. Ich habe die kunstvollen Ziernähte bestaunt, und ich liebte den Geruch von Schuhcreme und Leder. Eines Tages, ich muss etwa sieben gewesen sein, wurde dann bei mir Maß genommen. Der Meister wies seinen Assistenten an, mir Papierblätter unter die Füße zu legen und mit einem schwarzen Filzstift die Umrisse nachzuzeichnen. Danach schickte er den Jungen, einen Ägypter, der kaum älter als fünfzehn gewesen sein kann, mit den Blättern nach hinten in die Werkstatt. Der Schuhmacher bot meinem Vater Tee an und mir eine lauwarme Dose Pepsi. Wir setzten uns auf abgewetzte Hocker, und der Mann zeigte meinem Vater verschiedene Ledermuster, geflochtene Bommel und einen Bund mit dicken, goldenen und silbernen und schwarzen Garnen. Ich entschied mich für karamellfarbenes Leder, schwarze Bommel und schwarzes Garn.

»Wunderbar, *mashallah*, was für ein wunderbarer Geschmack, *ya Doktor*, ganz der Vater, *mashallah*«, hatte der Schuhmacher gesagt.

»Danke, Mary«, sage ich und schlüpfe in die Schlappen. Sie passen wie angegossen.

Die Moschee befindet sich direkt an der Corniche, mit dem Roten Meer als Panorama im Hintergrund. Der weite, achteckige Platz vor dem Gebäude ist von teuren, großen Autos umstellt, pakistanische Fahrer sitzen auf den Bordsteinkanten oder haben ihre Gebetsteppiche im Schatten der Markise vor dem Eingang ausgelegt und warten, dass das Gebet beginnt. Omar hat Onkel Khaled und mich gefahren, unser Fahrer hat den Vormittag frei. Omar begrüßt ein paar Männer, die ebenfalls in Richtung Moschee gehen. Mein Onkel stützt sich mit einer Hand auf den silbernen Knauf seines Gehstocks, mit der anderen hat er sich bei mir untergehakt. Es ist kurz vor zwölf und unglaublich heiß. Der glänzend helle Marmorboden reflektiert die Sonne, und ich kann kaum etwas um mich herum erkennen. Ein paar junge Männer kommen auf meinen Onkel zu, geben ihm ehrfurchtsvoll die Hand und wünschen ihm einen schönen Tag.

Der Innenraum der Moschee ist ebenso achteckig wie der Platz, auf dem sie steht. Der Boden ist mit rot gemusterten Gebetsteppichen ausgelegt, durch die spitzen Fenster fällt das Mittagslicht hinein. Die Männer bewegen sich langsam, meist in kleineren Gruppen, begrüßen sich gegenseitig – »*Sabah el-kheyr, keyf el-sahha?*« –, suchen ihre angestammten Plätze auf dem Boden. Omar bahnt uns den Weg zu einer Stuhlreihe, links außen neben den Gebetsteppichen, und rückt seinem Vater einen der Stühle zurecht. Er selbst bedeutet mir, sich neben ihn auf den Boden zu setzen. »Die Alten können das nicht mehr, auf dem Boden knien und so. Denen erlaubt Allah das Sitzen«, sagt er und zwinkert mir zu. Dann holt er sein Blackberry aus der Brusttasche seines Thowbs und beginnt zu texten.

Um uns herum füllt sich der Raum, und ein angenehm sanftes Gemurmel macht sich breit. Selbst das leise Lachen der

Jungs neben mir wirkt ruhig und entspannt. Ich schließe einen Moment lang die Augen. Der Raum ist erstaunlich kühl, die Geräusche im Hintergrund werden zu einem leisen Rauschen. Meine Hände liegen ruhig auf meinen Knien, das Kribbeln der letzten Stunden hat sich gelegt, auch mein Puls klopft nicht mehr so hart gegen meine Halsschlagader wie während der Hinfahrt. Ein bisschen schlafen, das wäre jetzt gut, denke ich, eine kurze Gnadenfrist. »Mach einfach den anderen alles nach«, hatte Layla gesagt. »Du wirst sehen – plötzlich ist alles wieder da –, die Bewegungen, die Abläufe, sogar die Verse. Ich glaube, man verlernt das nicht, wie Schwimmen oder Fahrradfahren.« Ich atme tief ein und aus – und da geht es auch schon los.

»Allahu Akbar, Allahu Akbar ...«, beginnt der Muezzin seinen Gebetsruf, und sofort kommt Bewegung in den gut gefüllten Raum. Um mich herum erheben sich die Männer vom Boden und stellen sich in Reih und Glied. Omar versetzt mir einen leichten Tritt, um mir zu bedeuten, dass ich gefälligst auch aufstehen soll.

»Hayya ala A-Sallat, Hayya ala Al-Falah ... Ashhadu an la Ilaha illa Allah ...« Noch zweimal singt die Stimme aus dem Lautsprecher den Gebetsruf, lang und ausgedehnt, und ich muss an Layla denken, wie sie als Kind immer den Fernseh-Predigern zugeschaut hat, die vor irgendeiner Fototapete saßen und die melodischen Koransuren gesungen haben. Ganz verrückt war sie danach, vor allem ein blinder alter Imam mit dunkler Sonnenbrille hatte es ihr angetan, wegen seiner schönen, sanften Stimme. Ewigkeiten konnte sie vor dem Fernseher sitzen und zuhören.

Die Männer um mich herum, auch Omar, senken die Köpfe und falten die Hände über den Bäuchen. Sie murmeln leise vor sich hin, einige zählen die Perlen an ihren Gebetsketten ab. Dann setzt die Bewegung ein, mechanisch beugen sich die Männer und richten sich wieder auf, verbeugen sich erneut, knien sich hin und stehen wieder auf. Koordinierte Abläufe, eine ruhige, altbekannte Choreografie, die ich wie ferngesteuert mitmache. Verbeugen, Aufrichten, Verbeugen, Knien, Aufstehen. Immer wieder. Was sie dabei murmeln, was ich dabei beten sollte, habe ich vergessen. Ich muss es einmal gewusst haben, denn ich erinnere mich, dass sie es uns damals in der Schule beigebracht haben, dass unser Vater die Verse mit uns übte, und wie stolz wir waren, als wir sie fehlerfrei aufsagen konnten. Daran, dass er selbst gebetet hätte nach unserem Umzug nach Deutschland, kann ich mich nicht erinnern, und ich frage mich, wann er wohl mit dieser Routine gebrochen hatte.

Ich konzentriere mich auf das Kommando des Imams, *»Allahu Akbar«*, woraufhin sich die Betenden immer wieder aufrichten. Den letzten Teil des Gebets, das weiß ich, absolviert man im Sitzen. Man kniet, wiegt den Oberkörper hin und her, ganz leicht nur. Ich schließe die Augen, wie einige Männer um mich, tue es ihnen nach, bewege meine Lippen, muss etwas murmeln, aber mir fehlt noch immer der korrekte Text.

»Der Mond ist aufgegangen. Die goldnen Sternlein prangen. Am Himmel hell und klar ...«, höre ich mich flüstern. Es ist das Erste, was mir einfällt.

Ich musste die Verse in der siebten Klasse auswendig lernen. Ich weiß noch, meine Großmutter hatte in unserer

Küche gestanden und gebügelt. Layla hatte am Tisch gesessen und Hausaufgaben gemacht. Ich hatte mein Lesebuch vor der Nase und murmelte vor mich hin. Meine Oma konnte aus dem Stegreif alle sieben Strophen fehlerfrei aufsagen. Dabei bügelte sie meine Hosen und Laylas Kleider und Barbaras Blusen.

»Wie ist die Welt so stille, und in der Dämmrung Hülle, so traulich und so hold.«

Der Imam beginnt seine Predigt, und ich habe einen Kloß im Hals, weil ich meine Großmutter plötzlich schrecklich vermisse, obwohl sie schon seit Jahren tot ist. Aber vielleicht ist es auch wegen Layla und ihrer fixen Idee, hier sein zu wollen, um jeden Preis, auch um den Preis dessen, was wir immer hatten aneinander. *»Wir spinnen Luftgespinste und suchen viele Künste und kommen weiter von dem Ziel«*, sage ich, dann verschwindet der Rest des Gedichts. Da schaffst du einfach Tatsachen, Layla, einfach so, denke ich.

»Manchmal muss man sich einfach entscheiden, was man will und was nicht«, hatte sie mir gesagt, damals noch, in Hamburg. Und ich hatte gesagt: »Klar muss man das, was sonst?« Aber damals hätte ich es nie für möglich gehalten, dass sie all das hier gemeint haben könnte.

Gemächlich erheben sich die Männer um mich herum, andere bleiben noch sitzen, unterhalten sich oder in stilles Gebet vertieft. Handys werden wieder angestellt, und das Piepsen geht los.

»Basil, *ya akhi*, du hast ganz schön versunken ausgesehen«, sagt Omar. »Bist du eingeschlafen, oder hast du tatsächlich gebetet?«

»Von beidem etwas«, sage ich und versuche zu lächeln.

Omar legt mir den Arm um die Schulter und drückt mich im Gehen an sich.

»*Ya Basha*, es ist so schön, dich hier zu haben. Wirklich. Wir vermissen dich und deine Mutter sehr. Schade, dass Khala Fatma nicht hier ist. Ihr habt wirklich komische Regeln in Deutschland. Deine Schwester sagt, sie muss arbeiten und bekommt keine freien Tage. Nicht einmal für die Hochzeit.«

Ich weiß nicht, was ich dazu sagen soll, und zucke nur mit den Schultern. Wir wissen beide, dass Barbara ihre Arbeit bloß vorschiebt, aber wie soll ich das Omar erklären?

Draußen vor der Moschee schlägt uns die Mittagshitze entgegen. Onkel Khaled unterhält sich hinter uns noch mit einigen Männern. Als ein Bettler vorbeikommt und gebückt die Hand ausstreckt, drückt mein Onkel ihm einen Geldschein in die Hand und berührt ihn kurz an der Schulter.

»Macht nichts, *ya Basha*, macht nichts. Wir werden das Kind schon schaukeln. Dein Vater wäre stolz auf euch! Das weiß ich. Und jetzt fahren wir deinen Onkel nach Hause und holen uns danach ein Eis an der Corniche, einverstanden?«

Nachdem wir Onkel Khaled für seinen Mittagsschlaf zu Hause abgesetzt haben, fahren wir eine Weile durch die leeren Straßen. Ich schaue gedankenverloren aus dem Fenster, das ganze Wohngebiet ist wie ausgestorben. Ich will gerade die Klimaanlage etwas höher drehen, als Omar den Wagen am Straßenrand zum Stehen bringt.

»Na, kommt's dir bekannt vor?«, sagt er und schaut mich erwartungsvoll an.

Wir sind mitten in einem Wohngebiet, vor uns eine lange graue Mauer mit Stacheldraht obendrauf. Omar öffnet die Autotür und bedeutet mir, auszusteigen. Es ist unfassbar heiß draußen, und als meine Füße in den Lederschlappen den Asphalt berühren, zucke ich kurz zusammen. Ich schaue mich um und meinen Cousin dann etwas ratlos an. Ich habe keine Ahnung, wo wir sind.

Wir gehen an der Mauer entlang, und nach ein paar Schritten läuft mir schon der Schweiß den Nacken herunter. »Hier«, sagt Omar und deutet auf eines der Häuser in dem abgezäunten Bereich.

Auf den ersten Blick sehen alle gleich aus, graue Kästen, quadratisch und mit derselben Anzahl an Fenstern. Doch plötzlich spüre ich, wie mein Herz ein kleines bisschen schneller schlägt.

»Unser altes Haus«, flüstere ich.

»Ha! Wusste ich doch, dass du es sofort erkennst«, ruft er begeistert und zieht eine Zigarettenpackung aus der Brusttasche seines Thowb. »Komm, mach ein Foto für deine Mutter! Aber nicht so auffällig, der Komplex ist bewacht. Ach, das weißt du ja.«

Auf dem Dach des Hauses ganz links in der letzten Reihe des Compounds ist ein hölzerner Aufbau zu sehen mit kleinen verzierten Gitterfenstern. Selbst aus unserer Entfernung kann ich erkennen, dass das Holz bereits verwittert und die dunkelrote Farbe von damals abgeblättert ist. Mein Vater hatte ihn bauen lassen, weil er einen Raum für sich haben wollte. Dort oben hat er immer seine Freunde empfangen, sie haben Shisha geraucht und Karten gespielt. Manchmal durfte ich bei ihnen sitzen und zuschauen. Die Männer haben mir Kartentricks beigebracht, und mein Vater hat allen von meinen guten Schulnoten erzählt. »*Inshallah* tritt er in deine Fußstapfen, Doktor Tarek«, haben die Männer gesagt und mir auf die Schulter geklopft. Wenn Layla zu uns nach oben kam, war ich immer sofort abgeschrieben. Alle waren begeistert von meiner quirligen, schwarzlockigen Schwester, die alle mit ihrem Lächeln um den Finger wickeln konnte. Aber mich hat das nie gestört.

Ich klicke auf die Kamera meines iPhones und zoome das Haus, so gut es geht, ran. Das körnige Bild ruckelt ein bisschen, und ich drücke drei-, viermal ab.

Mir ist, als könnte ich plötzlich den Geruch der Shisha in dem kleinen Dachzimmer riechen und die muffigen braunen Sitzkissen.

Omars Wagen parkt im Schatten von ein paar Dattelpalmen, wir lehnen uns an die Beifahrertür und rauchen eine Zigarette.

»Danke«, sage ich zu Omar. Mehr fällt mir nicht ein.

»Hat Layla dir erzählt, dass ich mit ihr auch hier war?«, fragt er, nachdem wir eine Weile geschwiegen haben.

Ich schaue ihn an und schüttle den Kopf.

»Da hatte sie sich gerade verlobt. Sie hatte mich gefragt, ob das Haus noch steht, und da sind wir hergekommen. Man kann leider nicht in die Anlage hinein, wenn man niemanden dort kennt. Also standen wir genau hier, wie wir jetzt.

Layla hat dann schrecklich angefangen zu weinen. Ich wusste nicht so richtig, was ich tun soll, also hab ich sie erst mal weinen lassen. Ich glaubte, sie denkt an euren Vater, erinnert sich an alles, was damals passiert ist.«

Er nimmt einen tiefen Zug von seiner Marlboro und schaut mich dann ernst an.

»Aber das war es nicht. Sie hat euch vermisst, hat sie erzählt. Dich, eure Freunde, eure Stadt. ›Woher soll ich denn wissen, ob ich das hier alles schaffe?‹, hat sie mich gefragt. Ich kann das verstehen, weißt du? Ich wäre damals nach dem Studium auch gern in den USA geblieben. Aber das hier, das ist einfach stärker.«

Davon hatte mir Layla nie erzählt. Dass sie Zweifel hatte, dass sie Deutschland manchmal vermisste. Ich will Omar fragen, was sie sonst noch gesagt hat, will ihn fragen, ob er glaubt, dass sie es sich vielleicht doch noch anders überlegt, will ihm sagen, dass wir sie auch vermissen. Aber das würde er vielleicht als Beleidigung auffassen, also schweige ich lieber.

»Sie hat sich aber schnell wieder gefangen«, sagt Omar. »Deine Schwester ist sehr stark, weiß genau, was sie will. Aber du kennst sie ja besser als wir alle. Ich wollte dir nur sagen, dass sie euch wirklich vermisst. Auch wenn es vielleicht nicht so aussieht.« Er öffnet die Fahrertür und steigt ein. »*Yalla*, deine Tante wartet bestimmt schon mit dem Mittagessen auf uns.«

Bewegen

Im Nachhinein betrachtet hatten wir keine Ahnung.

Wir wussten nicht, dass wir nie nach Hause zurückkommen würden, dass unsere Eltern ein anderes, ein neues Zuhause für uns vorbereiteten und wir nicht nur in die Sommerferien fuhren.

Alles war wie immer, wie jedes Jahr, Anfang Juli. Der letzte Schultag kam, und Layla und ich freuten uns. Auf die öffentliche Urkundenvergabe im Hof der Schule und darauf, auf die Bühne gerufen zu werden.

Wir wussten, dass wir beide zu den Besten unserer Jahrgänge gehörten, und das hieß: vor den Augen all unserer Mitschüler nach vorne zum Direktor zu gehen. Das war unser großer Auftritt, und der musste gut geplant sein. Layla ging auf die Mädchenschule, ich auf die benachbarte Jungenschule. Aber die Zeremonien waren überall gleich.

Nach dem Abendessen war Layla mit ihren weißen Lackschuhen in der Hand nach draußen geschlichen, über den Hof, und hatte an Rosas Tür geklopft, um nach der Kiste mit den Schuhputzsachen zu fragen. Dann hatte sie sich auf die Außentreppe gesetzt und mit einem löchrigen Lappen die Schuhe poliert, während ich unsere Katzen fütterte, die sich im Werkzeugschuppen ein Nest gebaut hatten. »Reham hat mir erzählt, dass sie letztes Jahr auf der Bühne fast ausgerutscht wäre«, sagte Layla leise und ein bisschen ängstlich. »Da muss ich aufpassen.«

Am Abend des letzten Schultags, als alles geschafft war und wir müde und stolz unsere Zeugnisse herumgezeigt hatten, begann Barbara wie jedes Jahr, unsere Abreise vorzubereiten.

Sie war immer schon eine Meisterin im Packen. Damals, an jenem letzten Schultag, huschte sie, in ihrem blau-weiß geringelten Hemd, die kurzen blonden Haare mit einer kleinen Klammer nach hinten gesteckt, zwischen drei großen Koffern hin und her, die aufgeklappt auf dem großen Ehebett lagen. Barbara läuft nicht oder geht oder bewegt sich sonst wie greifbar. Sie wabert, sie wieselt, sie ist kaum zu sehen, aber immer zu fühlen. Der ganze Raum füllt sich mit ihrer Wieselhaftigkeit.

Layla und ich saßen im Flur vor dem Elternschlafzimmer auf dem Boden. Meine Schwester versuchte, aus dem Berg von Puppenkleidern die Urlaubsgarderobe für ihre Puppe zusammenzustellen und in ihr Erdbeerköfferchen zu falten. Sie trug noch immer ihre Schuluniform, das grobe grüne Cord hatte tiefe Muster in die Haut ihrer Beine gedrückt, und am Kragen der weißen Bluse war ein gelber Fleck. Mangoeis. Wie jedes Jahr am letzten Schultag hatten wir auf dem Heimweg an der Corniche gehalten und Eis gekauft. Der letzte Schultag war auch der einzige Tag, an dem mein Vater uns selbst von der

Schule abholte. Ich weiß noch, dass wir das Eis nicht draußen aßen, sondern im Auto, was sonst streng verboten war. Ganz vorsichtig waren wir in den weißen Mercedes mit seinen hellen Ledersitzen gestiegen und hatten uns bemüht, bloß nicht zu tropfen. Aber unser Vater hatte gelacht und gesagt, wir sollten uns keine Sorgen machen, wir dürften heute alles.

Den letzten Abend vor der Abreise, unserem offiziellen ersten Ferientag, verbrachten wir wie immer im Haus von Onkel Khaled. Die Männer spielten im Hof Karten und rauchten Shisha. Tante Basma hatte große Platten Milchreis mit Huhn und Kardamom gekocht, und für uns Kinder gab es Sambusak und noch mehr Eis zum Nachtisch. Dann durften wir draußen im Hof Fußball spielen.

Unser Vater gewann dank Laylas Spionagefähigkeiten ein Spiel nach dem anderen, und Layla lachte, wenn Onkel Khaled im Spaß laut mit ihr schimpfte.

An die Heimfahrt im Auto erinnere ich mich heute nicht mehr, bin aber sicher, ich würde mich erinnern, wäre sie anders verlaufen als sonst. Layla hat vermutlich geschlafen, den Kopf in den Schoß meiner Mutter gelegt, ich, vorne neben meinem Vater auf dem Beifahrersitz, habe wohl die riesigen amerikanischen Autos draußen auf der Straße kommentiert und aus dem Fenster geschaut, aufs Meer, auf die große King-Fahad-Fontäne, deren im Minutentakt wechselnde Beleuchtung wir zum hundertsten Mal gezählt haben.

Ich habe oft darüber nachgedacht, ob es irgendwelche Anzeichen gegeben hat an dem Tag. Einen Hinweis darauf, dass dies unsere letzte Urkundenvergabe, unsere letzten Stunden in dem alten Haus waren. Etwas Besonderes im Blick meiner Mutter oder dem Verhalten der Verwandten. Ob sie uns anders anschauten. Aber das Einzige, was ich mit Sicherheit sagen kann, ist, dass alles einfach wie immer war. Wir dachten, es sei nur ein weiterer langer Sommer bei den Großeltern, mit meinen deutschen Cousinen, mit langen Autofahrten in die Berge, die mein Vater so mochte, im rostroten Auto meines Opas, mit seinen Zitronenbonbons im Handschuhfach und dem schweren Geruch von Pfeifentabak in den Sitzpolstern, von dem mir immer ein bisschen schlecht wurde.

Ich bin mir sicher, wir haben nichts geahnt.

Den Sommer verbrachten wir dann auch wie gewohnt in der kleinen Wohnung, die meine Eltern in der anderen Stadt besaßen, ein paar Straßen entfernt von unseren Großeltern. Der Unterschied zu unserem großen Haus wurde jedes Jahr spürbarer, denn allmählich wollten wir uns auch im Urlaub kein Kinderzimmer mehr teilen. Aber für die paar Wochen würde es schon gehen.

Unsere Großeltern gingen mit uns in den Zoo und ins Schwimmbad, wir machten Ausflüge zur Bundesgartenschau und zwei Wochen Ferien im Allgäu. Endlose Staus, Benjamin-Blümchen-Kassetten. Meine Oma brach sich den Arm in der Schwimmhalle der kleinen Pension, und mein Vater legte ihr einen Gipsverband an.

Erst gegen Ende des Sommers, als es langsam kühler wurde, fing es an, dass merkwürdige Dinge passierten. Meine Mutter kaufte uns Winterjacken und dicke Schuhe. Layla fiel es nicht weiter auf. Aber mich machte das misstrauisch, denn selbst zu Weihnachten waren es zu Hause selten weniger als fünfundzwanzig Grad.

Dann kam das Gespräch bei Frau Körner. Eine kühle Person, die ihre rot gefärbten Haare streng nach hinten gekämmt trug, die dünne Brille weit vorn auf der Nase. Selbst als Neunjähriger verstand ich nicht, warum deutsche Frauen sich nie schön anzogen. Hosenanzüge, wenn es schick sein sollte, sonst Jeans und Pullover oder noch schlimmer: Sweatshirts mit aufgenähten Bären oder Hunden. Und keine Frau trug Absätze, was vor allem Layla beschäftigte. Ich weiß noch, wie sie Barbara einmal fragte: »Mama, wo sind denn deine ganzen schönen Schuhe?« Die hatte gelacht und gemeint, dass Absätze einfach furchtbar unpraktisch seien. »Das wirst du verstehen, wenn du älter bist, mein Schatz.« Im Urlaub wurde unsere Mutter wieder deutsch.

Meine Eltern saßen mit Layla und mir im Direktorenzimmer im ersten Stock der kleinen Heinrich-Heine-Schule. Die Fassade des alte Backsteingebäudes kannten wir gut, es lag direkt gegenüber vom Haus meiner Tante, und nachmittags kamen wir mit meinen Cousinen oft hierher und fuhren auf dem großen Schulhof Fahrrad. Ein Nachbarsjunge ärgerte uns und forderte uns immer wieder zu Mutproben auf, die darin bestanden, den keifenden Schäferhunden im Zwinger hinter dem Schulhaus so nah wie möglich zu kommen. Meistens endeten solche Nachmittage in Tränen, weil einer von uns sich vor den Hunden erschreckte oder sich auf dem groben Kiesboden die Knie aufschlug.

Frau Körner stellte uns viele Fragen. Ob wir dieses und jenes könnten, rechnen, lesen, wie viele Buchstaben des Alphabets Layla schon kannte – was sie beleidigt mit: »Meinst du auf Arabisch oder Englisch? Oder Deutsch?« beantwortete –, und ob wir mit dem Fahrrad zur Schule kommen würden oder mit dem Bus. Sie gab meiner Mutter eine Liste mit Dingen, die sie besorgen sollte – Wasserfarbkasten für Layla, Hefte und Bücher für mich, und sprach besonders laut mit meinem Vater, als sei er taub.

Layla, das weiß ich noch ganz genau, hatte an meinem Sweatshirt gezupft und mir zugeflüstert: »Basil, gehen wir jetzt hier zur Schule?« Sie hatte mich angeschaut, als wollte sie sagen: »Aber ich will doch nächstes Jahr auch wieder die Urkunde haben und der Direktorin die Hand geben.«

Das musste alles ein Versehen sein, ein Missverständnis. Oder zumindest nur eine Übergangsgeschichte. Es gab ja keinen Grund, nicht nach Hause zu fahren. Immerhin waren da ja alle unsere Sachen.

Wir verabschiedeten uns von Frau Körner. An der Hand meines Vaters schaute Layla noch einmal über die Schulter zurück zu der strengen Direktorin und fragte: »Mama, müssen wir jetzt hier zur Schule?«

Barbara schwieg einen Moment und sah dann meinen Vater an. Der nickte ihr nur zu.

»Mein Schatz, der Papa muss ja ab nächste Woche auch wieder zur Schule gehen. Und ist das nicht schön, dass Basil und du jetzt zusammen in dieselbe Schule kommt? Ihr könnt jeden Morgen mit dem Fahrrad fahren.«

Mein Vater ging natürlich nicht wieder zur Schule. Er hatte sich an der Universität eingeschrieben, begleitend zu seiner Facharztausbildung. Das hatte mir unsere Oma später erklärt.

Wir kamen beide in die Heinrich-Heine-Grundschule, Layla in die zweite, ich in die vierte Klasse, obwohl ich eigentlich in die fünfte gekommen wäre. Mit meinen Zeugnissen von zu Hause wollte mich das Gymnasium aber nicht aufnehmen. Meine deutsche Rechtschreibung sei zu schlecht, ich würde das Niveau der Klasse nicht schaffen, hatte Frau Körner gesagt und die Realschule empfohlen. Ich weiß noch, wie aufgebracht unser Vater nach dem Gespräch gewesen war. Aber Barbara hatte ihn beruhigt und gesagt, dass das nicht schlimm wäre, ich hätte ja Zeit und sollte einfach die eine Klasse wiederholen, dann würde schon alles klappen. Ich verstand das alles nicht, zu Hause gab es gar keine Grund- oder weiterführende Schule, sondern nur eine, und ich hätte mit meinen Freunden aus dem Kindergarten später dann mein Abitur gemacht. Ich weiß nur, dass ich mich aus irgendeinem Grund schämte. Und dass ich ganz lange Heinrich Heine für einen Menschen gehalten habe, der wütend auf mich ist.

Am ersten Schultag stellte mich die Lehrerin vor die Klasse und sagte: »Das ist Basil, er ist aus einem ganz weit entfernten Land zu uns gekommen und geht jetzt mit euch in eine Klasse. Ihr werdet ihm bestimmt alles zeigen und erklären!«

Die Kinder schien es nicht besonders zu interessieren, dass ich aus einem ganz weit entfernten Land kam. Ich weiß noch, dass ich die Arme verschränkt hatte, als müsste ich mich schützen vor ihren verschlafenen und blinden Blicken.

»Basil, willste nen Stein?«, fragte mich ein Junge aus der ersten Reihe und hielt mir einen braunen Sandstein hin. Seine laute, rauchige Stimme erschreckte mich, genauso wie sein Angebot, ein seltsames Begrüßungsritual vielleicht.

»Nee, ich hab schon selber ganz viele«, sagte ich und wusste selbst nicht, warum. Ich sammelte schon lange keine Steine mehr. Layla hatte eine ganze Schachtel voll, Kiesel vom Strand, kleine Marmorsplitter aus dem Hof von meinem Onkel.

Ich schlug die erste Freundschaftsgeste aus, in der fremden Klasse, vor den fremden Kindern.

Der Übergang war nahtlos und wortlos. Wir besuchten die neue deutsche Schule, und keiner sprach mehr darüber, ob wir bald nach Hause zurückfahren würden. Mein Vater setzte sich jeden Morgen ins Auto zur Uni, Layla und ich gingen zur Schule und stellten uns in den Pausen abseits von den anderen Kindern hin. Layla ließ meine Hand die ganze Zeit über nicht los, und ich war froh, dass hier Mädchen und Jungs nicht getrennt wurden.

Wir schauten uns die anderen Kinder an. Wie sehr sie sich von uns zu Hause unterschieden. Die Schuhe. Die Mädchen trugen dieselben wie die Jungs und meist auch dieselbe Kleidung. Jeans und Sweatshirts. Blau und rot und lila. Gestreift oder mit irgendwelchen Motiven. Kaum eines der Mädchen hatte Ohrringe, so wie meine Cousinen zu Hause oder Layla. Und auch wir bekamen nun Sweatshirts und Jeans. Laylas weiße Lackschuhe waren irgendwann einfach verschwunden. Vielleicht hatte Barbara sich gedacht, dass es besser so war, dass man ihre Tochter damit nur gehänselt hätte. Ich weiß es nicht. Aber diese neue Kleidung bedeutete für uns vor allem eines: Unser Recht auf Fremdheit war vorbei. Wir sahen aus wie die anderen Kinder und sprachen wie sie. Dank unserer Mutter und der deutschen Großeltern hatten wir beide keinen Akzent, niemand hörte uns unsere Herkunft an. Und die Dinge, für die wir unsere alten Wörter hätten verwenden können, waren sowieso verschwunden. Nur manchmal fragte irgendein Mitschüler, was dieses oder jenes bei uns hieße, aber sie fragten das nur, weil sie den Klang der Wörter lustig fanden. Wir fanden das nicht.

Barbara war damals vor allem damit beschäftigt, alles richtig zu machen. Sie richtete die Wohnung ein, kaufte Kleider für uns und sich bei C&A und putzte ununterbrochen die Wohnung. Mir fiel auf, dass ich unsere Mutter vorher nie hatte putzen sehen. Zu Hause hatte Rosa die meiste Arbeit gemacht. Vielleicht musste Barbara sich deshalb so anstrengen.

Damals begannen wir, die Nachmittage bei unseren Großeltern zu verbringen. Unsere Wohnung fühlte sich klein an und zu voll, obwohl mein Vater nie vor dem frühen Abend zurückkam.

Das Mietshaus, in dem unsere Großeltern lebten, lag auf halber Strecke zwischen der Schule und unserer Wohnung. Vor dem Haus gab es einen alten Sandkasten, in dem wir aber nicht spielen durften, weil die Hunde ihn als Klo benutzten, und es gab betonierte Fahrradrillen vor der Haustür. Fast jeden Mittag stellten wir dort unsere Räder ab, aßen mit meinen Großeltern und schauten ihnen anschließend beim Kartenspielen zu. Meist gab es Eintopf oder Schnitzel und Kartoffeln, und mein Opa brachte uns Canasta bei. Layla musste sich sehr konzentrieren, das Blatt mit seinen dreizehn Karten so in den Händen zu halten, dass keiner der anderen reingucken konnte. Immer wieder fielen ihr die Karten auf den Tisch, wenn sie versuchte, eine herauszuziehen. Unsere Oma lachte dann immer und dreht den Kopf zur Seite, als könnte sie Layla gar nicht in die Karten schauen.

Unser Vater starb unerwartet, an einem Dienstagnachmittag. Sein Herz blieb einfach stehen, in unserem deutschen Wohnzimmer. Wir saßen nebenan, Layla und ich, und sahen fern, als das Glas klirrte. Glas auf Glas, Scherben auf Glas, und der laute Schrei meiner Mutter. Sie rief immer wieder den Namen meines Vaters, schrill und eindringlich, als sei er irgendwo, ganz weit weg.

Als wir in das Zimmer kamen, lag er auf der braunen Couch im Wohnzimmer, wie eingeschlafen, nur sein Arm hing runter. Auf dem gläsernen Wohnzimmertisch das zerbrochene Teeglas, eins von den kleinen, von zu Hause, und Barbara hockte davor, immer noch schreiend, das weiße Gesicht noch weißer als sonst, und wir wussten nicht, wo wir zu stehen hatten.

Vom Rest des Tages sind nur Fetzen übrig geblieben; die Großeltern, die plötzlich da waren und uns zu unserer Tante brachten; unsere Cousinen, mit denen wir im Hof Fahrrad fuhren, und unser Opa, der am Fenster stand und weinte. Der Mann, der immer nur lachte und selten sprach, den wir vor allem mit seinem Kartenspiel in der Hand oder einer Mundharmonika kannten, stand am Fenster und weinte, laut, und putzte sich die Nase mit einem gestreiften Stofftaschentuch.

»Sind die alle verrückt geworden?«, hatte ich meine Tante gefragt, die ebenfalls weinte. Ich lachte, das weiß ich noch, aus Angst und aus Verlegenheit. Etwas Schlimmes war passiert, das war mir klar. Aber ich lachte.

Ich nahm Layla in den Arm und bastelte mir aus den Wortfetzen der Großeltern eine Information zusammen. Unser Vater war tot, sein Herz war stehen geblieben. Sie habe keine Schuld, das sagte ich Layla immer wieder, und setzte sie auf meinen Schoß.

Als wir zurück in die kleine Wohnung kamen, war unser Vater nicht mehr da. Barbara saß alleine in dem Wohnzimmer, die Scherben auf dem Tisch waren beseitigt. Sie trug einen schwarzen Rollkragenpullover und hatte rote Augen. Als wir in der Tür standen, schaute sie durch uns durch.

»Was ist mit Papa? Wo ist er hingegangen?«, fragte Layla mich leise.

»Das verstehst du noch nicht, sei ruhig«, hatte ich zu ihr gesagt, so streng, dass ich mich selbst ein bisschen erschreckte. Dann nahm ich ihre Hand und zog sie in die Küche. »Komm, ich mache uns was zu essen.«

An der Anrichte schmierte meine Oma Stullen. Mein Opa stand auf dem Balkon, noch immer das gestreifte Taschentuch in der Hand. Oma setzte Layla an den Küchentisch und drückte mich kurz an sich. Dann reichte sie mir ein Glas mit sauren Gurken und einen Teller mit Käsebroten.

Als Teenager glaubte Layla fest daran, unser Vater sei an gebrochenem Herzen gestorben. Das sagte sie immer wieder zu mir. An seiner Heimatlosigkeit sei er gestorben. Das Gefühl, nirgendwo mehr hinzugehören, habe ihm das Herz gebrochen. Ein Nomade könne ohne seinen Stamm nicht überleben. Ich fand das immer kitschig. Aber zugleich wusste ich, dass sie natürlich auf ihre Weise recht hatte.

Über den Tag, an dem er starb, haben wir nie geredet. Als läge ein Bann über all dem. Als sei die Geschichte eigentlich nicht wahr und nie geschehen und würde erst Wirklichkeit, wenn es jemand aussprach. Auch Barbara war verschwunden, auf ihre Art, und niemand redete von der offensichtlichen Leerstelle in unserer deutschen Wohnung.

Wir zogen in ein Haus, das mein Vater noch kurz vor seinem Tod gekauft hatte, im selben Stadtteil, wo auch meine Großeltern lebten und wo wir zur Schule gingen. Ein deutsches Einfamilienhaus, ein Neubau in einer Neubaustraße mit Neubaunachbarn mit deutschen Berufen und Familien. Viele blonde Kinder lebten in der Straße, sie alle hatten zwei Elternteile und deutsche Vornamen. Kastanien standen am Straßenrand, und dienstags kam die Müllabfuhr. Die Vorgärten waren sauber, die meisten Hecken sehr gerade beschnitten, und jedem Hausbesitzer stand ein Parkplatz zu.

Das Haus wurde eingerichtet mit den Möbeln, die per Container von zu Hause nach Deutschland geschifft worden waren. Freunde meiner Eltern hatten sich darum gekümmert.

Eines Tages kam ein großer Lastwagen vor unser Haus gefahren und entlud all die Dinge, die wir vor einem knappen

Jahr in unserem alten Haus zurücklassen mussten. Mein altes Bett und unser altes Wohnzimmer. Arabische Polstermöbel, ausladend und weich und in Pastellfarben, Couchen und Sessel, schwere Tische, Stühle mit hohen Lehnen und Plüschbezügen.

Als die Klappe des Lasters aufging, standen Layla und ich gespannt davor und warteten. Der Geruch von Chlorex und süßlicher Holzpolitur schlug uns entgegen, aber ich meinte, unter der Wolke einen Hauch von Rosas Jasminparfüm zu riechen. Zu Hause.

In einem der Zimmer unterm Dach richtete meine Mutter das Arbeitszimmer meines Vaters ein. Schwere Kirschholzmöbel, Bücherregale und einen Schreibtisch. In die Regale stellte sie die Medizinbücher meines Vaters und seine Sammlung englischer *National-Geographic*-Hefte. Die Bücher waren genauso einsortiert wie zu Hause, das Zimmer war verpflanzt worden, zusammen mit uns. Nur einer fehlte.

Mein Großvater väterlicherseits war Schneider mit einem kleinen Laden in der Altstadt von Mekka. Mein Großvater seitens meiner Mutter war Bergmann auf der Zeche Hugo im Ruhrgebiet. Meine Großmutter väterlicherseits kam aus Pakistan. Der Legende nach war sie adliger Abstammung und brannte zum Entsetzen ihrer Familie mit einem Schneiderlehrling aus dem Beduinenstaat Saudi-Arabien durch. Meine Großmutter mütterlicherseits hat als Mädchen auf einem

Bauernhof in Niedersachsen Gänse gemästet, ehe sie nach dem Krieg in ihre kleine Heimatstadt im Ruhrgebiet zurückkehrte, einen jungen Kriegsheimkehrer aus Ostpreußen heiratete und mit ihm drei Kinder bekam.

Mein Vater kam als junger Mann, fast noch als Junge nach Deutschland. Er lernte die Sprache, studierte Medizin. Es verschlug ihn, dank des Teufels Zufall, in eine kleine Stadt ohne Gesicht, mitten im Ruhrgebiet, wo er eine sehr junge deutsche Krankenschwester kennenlernte.

Zusammen zogen sie zurück ins Land seiner Familie und bekamen zwei Kinder. Meine deutschen Großeltern hatten noch nie von dem Land gehört.

Die Bewegungswut meiner Ahnen bildet das Dilemma meines Lebens – Gehen oder Bleiben. *»Haraka Baraka«*, heißt es in einem arabischen Sprichwort. *Bewegen heißt Segen.* Das gilt wohl nicht immer.

»Weißt du noch, was wir damals immer gesagt haben:
Im Leben der Entorteten ist kein Platz für Liebe.«

»Weil man so viel Kraft zum Überleben braucht.
Und das glaube ich noch immer.«

Brücken

Layla hat ihre Wirkung auf Männer noch nie verstanden. Dass ihr die Jungs schon in der Schule und später in Hamburg hinterher schauten, dass sie versuchten, sich in ihrer Nähe aufzuhalten, ihre Aufmerksamkeit auf sich zu ziehen, dass sie gleichzeitig zurückschreckten vor diesem schönen, selbstbewusst wirkenden Mädchen mit den pechschwarzen Locken. »Deine Schwester ist viel zu schön«, hatte Alex gesagt, damals, als wir drei zusammenzogen. »Das kann nicht gut gehen, da müssen wir gut aufpassen, Alter.« Aber Layla hatte nie Augen für jemand anderen gehabt außer für Alex. »Bei Alex fühlt man sich, als würde man in die Sonne schauen«, hat sie mal gesagt.

Ungefähr ein halbes Jahr, nachdem sie nach Jeddah gegangen war, schrieb sie mir einen Brief. Typische Layla-Sätze, euphorisch und schwärmerisch. Sie hatte sich verlobt. Den Namen Rami hörte ich da zum ersten Mal. »Er ist einer von uns, Basil. Auch so eine halbe Sache.« Seine Mutter sei Britin und sein Vater auch Saudi und dass er Ingenieur sei und für eine internationale Baufirma als Projektentwickler arbeite.

»Rami hat in London gelebt und weiß, wie das ist, wenn man sucht.« Die beiden hatten sich über einen unserer Cousins kennengelernt. Wie das da drüben so ging: Irgendjemand kannte jemanden, der jemanden kannte, der heiraten will.

Ich hatte an unserem Küchentisch in St. Pauli gesessen, in unserer verwaisten WG, aus der erst Layla verschwunden war und dann Alex, in einem der Zimmer hockte irgendein Zwischenmieter, dessen Namen ich ständig vergaß, in der Hand den Brief meiner Schwester. Ich hatte eine Weile das Bild angestarrt, das Layla vom Trödel angeschleppt hatte, irgendeine Hafenansicht in Öl mit Booten und Fischverkäufern, in einem kitschigem Goldrahmen, dann hatte ich meinen Laptop aufgeklappt, um ihr zurückzuschreiben. Ich hatte angefangen zu tippen, dass es mir egal sei, dass dieser Rami wisse, wie es sei, wenn man suche, und dass sie, Layla, ja offenbar mit der Suche abgeschlossen und sich einfach für eine völlig irrationale Lösung entschieden habe. Schön für sie!

Dann löschte ich alles, schrieb: »Wann soll ich kommen?«, und klickte auf senden.

Nach dem *Maghrib*-Gebet kommt er dann, Rami der Ingenieur. Als ich den Salon betrete, entdecke ich ihn sofort.

Er unterhält sich mit den Cousins und Onkeln und schaut dabei immer wieder auf sein Smartphone. Plötzlich steht Layla neben mir und nimmt meine Hand.

»Sei nett, okay? Er ist ein guter Kerl.«

»Das sehen wir ja dann«, sage ich und lasse die Finger knacken wie ein Kiezgangster. »Scherzkeks«, sagt Layla und zieht mich aus der Ecke und auf ihren Verlobten zu.

»Rami«, ruft sie, und er schaut sofort von seinem Telefon auf.

»Das ist mein Bruder, Basil«, stellt sie mich auf Englisch vor. Er reicht mir die Hand und lächelt.

»*Ahlan wa sahlan, hamdillah al salamah*, wie geht es dir?«

Sein Händedruck ist fest und schwungvoll, sein Englisch im Gegensatz zu dem meiner jüngeren Cousins und Cousinen ein sauberes Britisch ohne Akzent.

»Danke, sehr gut, herzlichen Glückwunsch. Nice to meet you«, sage ich.

»Layla hat mir alles von dir erzählt, aber du hast bestimmt tausend Fragen«, sagt er. »Lass uns später eine Shisha zusammen rauchen, ja?« Sein Teint ist heller als der unserer Familienmitglieder, seine Augen wirken schlammig grün. Ich bin überrascht, wie klein und stämmig er ist. Ein kleiner rundlicher Saudi in seinem weißen Thowb – viel weiter weg von Alex mit seinen knappen zwei Metern und seinem grasgrünen Trainingsanzug hätte Layla sich nicht entfernen können. Seine Augenbrauen sind gezupft, die Fingernägel sauber gefeilt. Männer mit manikürten Händen machen auf mich selten einen vertrauenswürdigen Eindruck.

»Ja, gern«, sage ich, aber Ramis Aufmerksamkeit gehört schon wieder seinem Smartphone. Layla hakt sich bei mir unter, und wir gehen rüber zum Sofa.

»Scheint doch ein ganz netter Typ zu sein«, sage ich und schaue zu ihm hinüber. Er steht am anderen Ende des Raumes mit Omar zusammen, erzählt wild gestikulierend irgendeine Geschichte und zeigt ihm Fotos auf seinem Handy, über die beide lachen. »Nur sein Telefon solltest du wegschmeißen.«

Layla boxt mich gegen die Schulter. »Nimm ihm das nicht übel eben. Er hat ein großes Projekt gerade und checkt ständig Mails.«

Ich denke, dass es schön sein muss, von Layla, von einer Frau wie ihr, geliebt zu werden. Von diesem Mädchen, das in allem immer absolut ist und kein Grau, keinen Zwischenton zulässt. Alex konnte das nicht haben, hat sie immer gesagt: »Er kann nicht ertragen, dass wir uns lieben, weil es ihn erdrückt.«

»Und du?«, frage ich. »Was wirst du denn machen, wenn ihr verheiratet seid? Kannst du arbeiten gehen?«

»Ich werde weiter Deutschkurse geben, das ist kein Problem für Rami. Und Onkel Khaled lässt mich schon ab und zu in der Firma mitarbeiten, jetzt wo mein Arabisch immer besser wird.« Layla schaut ein wenig verlegen. »Na ja, und wir wollen dann bald auch Kinder.«

Man brauche einen Ort für dieses Ding namens Familie, hatte Layla mir damals geschrieben. »Das ganze Prinzip ist ja, dass man Nähe durch Nähe produziert. Und wenn man auseinandertreibt, sich auf Brücken verlässt, Tausende Brücken in alle Himmelsrichtungen, sternförmig von dir weg, dann endet es ja damit, dass jemand an der anderen Seite der Brücke steht, wartet und sich fragt, warum du dich nicht auf ihn zubewegst. Du musst dich über die Brücke bewegen und bei ihnen bleiben.«

Barbara sagt, Layla würde sich die Familie richtig lügen und dass es nur eine Laune sei, eine ihrer vielen Launen. Doch nun redet sie von Kindern und ist fest verankert an ihrem Ende der Brücke. Das macht mich wütender, als ich zugeben will. Aber ich schaue sie an und weiß, dass Barbara sich irrt. Layla lügt sich nichts zurecht. Sie glaubt tatsächlich, was sie sagt.

Nach dem Essen geht Rami nach Hause, unter großem, lautem Abschied, so wie alle anderen auch. Layla berührt er nur sanft an der Schulter und flüstert ihr etwas zu.

Wir hatten uns noch kurz unterhalten, über seine Arbeit, den Ablauf der nächsten Tage, aber für die gemeinsame Shisha blieb keine Zeit, worüber ich nicht besonders unglücklich war. »Ich muss los, mein Freund, noch mal an den Schreibtisch. Das Projekt muss stehen, bevor wir auf Reisen gehen. Aber uns bleibt ja noch Zeit. Du musst mir von Hamburg erzählen. Die neue Hafen-City interessiert mich sehr!«

Onkel Khaled hat sich zu Layla und mir gesetzt, und Mary bringt schon wieder Kekse, Tee, Kaffee und Datteln, obwohl niemand nach dem ausschweifenden Abendessen auch nur einen Bissen herunterbekommen würde.

Wir hocken tief eingesunken in den weichen Polstern, nippen an unseren Teegläsern und genießen den Moment der Ruhe. Kurz denke ich, dass Khaled eingeschlafen ist, aber dann sehe ich, wie seine Finger flink über die Perlen seiner Gebetskette wandern, sein Mund sich kaum merklich bewegt.

»Jeddah«, sagt Layla schließlich auf Arabisch und streicht Khaled liebevoll über den Rücken, »hat ihren Namen von ›Jaddah‹, vom arabischen Wort für ›Großmutter‹. Ein Volksglaube besagt, dass sich das Grab von Eva, der Mutter der

Menschheit, hier befand. Für unseren Onkel ist dies noch immer ein Zeichen dafür, dass hier die Wiege der Zivilisation, der ganzen Menschheit liegt.«

»Siehst du, *ya Waladi*«, sagt er und schaut mich mit seinen schwarzen, von Lachfältchen eingerahmten Augen an. »Gott hat schon immer zu allererst hierhergeschaut. Wenn die Mutter Eva hier ihre letzte Reise beendet hat, *ya Waladi*, dann ist es richtig, dass wir alle hier wieder zusammenfinden. Dann ist das Allahs Wille, *Ya Rab*, dann fängt hier jede Geschichte an und findet hier ihre Ruhe. Deine Schwester hat das gespürt, Basil. Sie hat auf Allah gehört.«

Layla lacht. »Ach, ich wollte einfach bei meiner Familie sein, *ya Ammy*.«

»Ich habe da etwas für euch«, sagt Khaled und winkt nach Mary. »Bringst du mir mal bitte den Umschlag vom Schreibtisch in meinem Arbeitszimmer?«

Kurz darauf ist sie zurück und überreicht ihm ein großes braunes Kuvert. Unser Onkel öffnet es langsam und bedächtig mit seinen alten, leicht knotigen Fingern und zieht einen Stoß Fotos heraus. Das oberste zeigt ihn offenbar selbst aus seiner Zeit beim Militär, obwohl der Junge auf der vergilbten Aufnahme viel zu jung für seine Uniform aussieht. Und da ist ein Bild von unserer arabischen Großmutter, unserer *Sitti*. An sie haben wir keine Erinnerungen, sie starb in hohem Alter, als wir noch sehr klein waren. Es zeigt die alte Frau, in einem hellgrünen Kaftan auf einem Sessel sitzend und tief über ein Buch gebeugt. Auf dem Kopf trägt sie einen locker gelegten schwarzen Schleier, unter dem ein langer, schon silbergrauer, geflochtener Zopf zu sehen ist.

»Einmal, da war Layla nur ein paar Monate, und deine Eltern waren mit euch hier zu Besuch«, beginnt Khaled zu erzählen. »Wir wollten zu viert ausgehen, weißt du, wir waren ja auch mal jung. Deine Tante hatte sich ein neues Kleid schneidern lassen, ich kann mich noch genau erinnern, es hatte einen langen, grünen Rock, so grün wie das Gras in Deutschland, weißt du, solche Farben kommen ja hier nie vor. Hier sieht alles aus wie der Staub auf den Möbeln. Das Kleid war wunderschön, und sie sah aus wie eine junge Fairouz. Deine Mutter hatte sich auch hübsch gemacht, und wir sind in den Diplomatenclub zum Ball gefahren. Deine Großmutter hat auf euch aufgepasst, auf dich und Layla, und auf Omar und Sahar, die waren aber schon größer. Ich weiß nicht mehr, wie alt genau sie waren. Deine Tante, die weiß solche Dinge. Jedenfalls, deine Großmutter hat auf euch aufgepasst. Erinnert ihr euch an sie? Meine Mutter war das ja, und die Mutter deines Vaters. Layla, *ya Binti*, du siehst ihr sehr ähnlich, schau mal, dahinten, da steht ein Bild von ihr. Sie hatte sehr lange Haare, so wie Sahar, und wie du früher. Der Zopf ging fast bis zum Boden, und sie hat die Spitzen immer abgebrannt mit einem Stück Kohle aus der Küche, damit sie nicht weiter wachsen. Das hat immer furchtbar gerochen, ich weiß es noch genau, wir dachten immer, einer von den wilden Hunden muss draußen versehentlich in die Feuerstelle gefallen sein. Was wollte ich eigentlich erzählen? Ach ja, wie deine Großmutter auf euch aufgepasst hat. Na, es wurde ziemlich spät, vielleicht so zwei oder drei Uhr, weißt du, damals konnten wir auch noch feiern. Deine Tante und dein Vater, die haben sehr gern getanzt. Layla, *ya Binti*, du wolltest offenbar nicht schlafen.

Du hast immer wieder geweint, sagte deine Großmutter. Und als wir zur Tür reinkamen, saß sie auf dem Boden, wie sie es immer getan hat, diese alte Dame, und hatte dich auf einem Kissen auf ihrem Schoß abgelegt, hat gesungen für dich und dich immer wieder hin und her geschaukelt. Du hast so lieb gelacht, *ya Binti*. Sie hatte dir die Augen mit *Khol* bemalt und Henna auf die Hände. Kleine Blümchen hatte sie gemalt auf deine winzigen Finger. Wunderschön sahst du aus, *ya Binti*, wie eine echte *Badawwi*. Wir alle haben sehr gelacht, nur deine Mutter, die war völlig außer sich. Sie hat dich deiner Großmutter aus dem Arm gerissen und angefangen, auf Deutsch zu schimpfen, hat deinen Vater angeschrien, und dann hast du auch angefangen zu schreien, dein Vater hat versucht, euch alle zu beruhigen, und deine Großmutter wusste nicht, wie ihr geschah. Sie wollte ja nur, dass du dich beruhigst. Deine Mutter wusste damals auch noch nicht, wie wir hier mit den Kindern umgehen. Ich glaube, sie hatte sich nur erschreckt, wegen des *Khol* und der Henna. Aber das war eine sehr große Aufregung. Deine Mutter, geweint hat sie, immerzu geweint, und ich konnte ja gar nichts verstehen, nur den Namen deines Vaters, den hat sie immer wieder gesagt, Tarek, Tarek, und dich an ihre Brust gedrückt und mit ihrem Ärmel versucht, das *Khol* abzuwischen. Deine Tante hat sie dann erst mal weggebracht, um zu helfen, dich sauber zu machen, und dein Vater hat uns erklärt, dass in Deutschland die Babys um diese Zeit schon schlafen und dass man sie auch nicht schminkt. Das würde man einfach nicht machen, sagte er, und Fatma, also deine Mutter, war einfach ein bisschen verwirrt. Sie kannte das ja hier auch alles noch nicht, weißt du, sie war sehr jung, viel jünger als Layla heute.«

Ich konnte mir Barbara gut vorstellen, die kleine blonde Frau, die sie damals noch gewesen sein musste, mit dem modischen Kurzhaarschnitt, in einem Abendkleid, vermutlich in blau oder hellgrau, das waren schon immer ihre Farben, nach dem Diplomatenball, wie sie ihre kleine Tochter in den Armen ihrer beduinischen Schwiegermutter findet. Angemalt und geschmückt wie ein Wüstenprinzesschen.

Onkel Khaled legt uns ein Schwarz-Weiß-Foto hin, vier kleine Jungs mit großen, dunklen Augen, aufgereiht auf einer Mauer, wie sie verträumt und ein bisschen skeptisch in die Kamera blicken. Einer davon ist unser Vater, die anderen seine Brüder. Ein Bild wie aus einem anderen Jahrhundert, einem völlig anderen Leben.

»Ist das nicht der Wahnsinn, dass wir mit denen verwandt sind?«, flüstert Layla mir zu.

»Dein Vater war ein guter Mann, ein sehr guter Mann«, sagt Onkel Khaled. »Er wollte immer allen helfen. Deshalb wollte er auch Doktor werden. Das konnte man damals hier noch nicht ordentlich studieren, wir haben ihn nach Deutschland geschickt mit diesem Stipendium, die ganze Familie hat das Geld für den Rest zusammengelegt, deine Onkel und Tanten, unsere Eltern, deren Eltern. Sie alle wollten, dass Tarek ein Doktor wird.«

Onkel Khaled zieht ein weiteres Bild hervor: das Hochzeitsbild meiner Eltern. Ein dunkelhaariger schlanker Mann, der euphorisch lachend seine sehr junge, sehr blonde Frau in ihrem weißen Hippiekleid auf dem Arm trägt. Sie lachen und wirken frei, im holzvertäfelten Vorraum eines kleinstädtischen Standesamtes in der deutschen Provinz. Sie sind flankiert von meinen deutschen Großeltern, protestantisch korrekt, hochgeschlossen und in gebügelter Sonntagskleidung. Meine Großmutter in einem ihrer geblümten Kleider, dunkelblau mit weißem Kragen, die Dauerwelle kurz und akkurat gelegt. Daneben mein Großvater, der Anzug sitzt einen Hauch zu weit, die Krawatte ist zu ambitioniert gebunden. Daneben stehen Onkel Khaled und Tante Basma, als seien sie das Königspaar auf der Gesindefeier, skeptisch schauen sie die neuen Schwiegereltern an, meine Tante im roten Abendkleid, eine goldene Handtasche in der Hand, die Haare elegant in Wasserwellen, die Dame, die sie unsere ganze Kindheit über war, die Dame, die Layla immer sein wollte. Nur mein Onkel hält seinen frisch verheirateten Bruder liebevoll an der Schulter fest und lächelt aufmunternd, das junge blonde Mädchen in dem Hippiekleid wird nichts zu befürchten haben. Ich frage mich, warum ich dieses Bild noch nie zuvor gesehen habe.

Meine Großeltern sagten immer, dass sie damals das Land, in das ihr Kind hineinheiraten wollte, nicht einmal auf der Landkarte finden konnten. »Arabien«, hatte meine Oma gesagt, »das ist doch nur ein Märchenland.«

»Dein *Jaddo,* Allah schenke seiner Seele Frieden, hat das Eis gebrochen«, sagt Onkel Khaled und streichelt über das Hochzeitsbild.

»Wir kamen alle nach Deutschland für die Hochzeit, deine *Sitti* war noch nie in ihrem Leben geflogen. Deine Großeltern haben uns vom Flughafen abgeholt, es war sehr, sehr kalt, mitten im Winter. Ich glaube, es lag sogar Schnee. Wir konnten die Sprache deiner Großeltern nicht, und deine Großeltern unsere nicht. Deine Mutter, ach, sie war so jung und aufgeregt. Sie hat kein Wort rausbekommen und immer nur deinen Vater angesehen. Und dein Großvater, der kam auf uns zu und hat deine *Sitti* umarmt. Einfach so. Ich glaube nicht, dass deine *Sitti* in ihrem Leben je einen anderen Mann so berührt hat, außer ihren eigenen Ehemann. Sie hatte ganz entsetzt geschaut, und dein Vater auch. Ich glaube, deine Mutter wäre am liebsten im Boden versunken. Ach, was waren wir da alle noch jung.«

Onkel Khaled schaut von den Bildern auf und Layla an. Er nimmt ihre Hand und streichelt zärtlich über die kleinen zarten Finger. Layla legt das Bild, das sie in der anderen Hand hält, auf den Tisch und umfasst die faltigen Hände meines Onkels und drückt sie ganz fest.

»Als dein Vater deine Mutter heiraten wollte, haben alle hier gesagt: ›Warum will er denn ein deutsches Mädchen? Hier gibt es doch genug gute Frauen.‹ Aber er ließ sich nicht abbringen. Ich bin dann nach Deutschland geflogen, um mit ihm zu reden und um mir das Mädchen anzuschauen. Sie war so jung, viel jünger als du jetzt, *ya Binti.* Und so eine wunderschöne Frau, so lebhaft. Ich konnte meinen Bruder verstehen. Also habe ich sie gebeten, mir *Ruz Bukhari* und *Mahshi* zu kochen.« Seine Augen leuchten auf, schwer, voller Erinnerungen und Liebe. »Natürlich wusste sie nicht, dass es eine Prüfung ist. Sie hat fantastisch gekocht. Dein Vater hat es ihr sehr gut beigebracht. Nach dem Essen bin ich dann mit ihr in die Küche gegangen, um zu sehen, wie sie den Kaffee zubereitet. Wisst ihr, das ist die Prüfung für jede Schwiegertochter. Der Mokka muss langsam immer wieder zum Kochen gebracht werden. Und der kleine Löffel auf dem Rand der Kanne, den muss die Frau im richtigen Moment herunterziehen, damit der Kaffee nicht überkocht. Macht sie alles richtig, wird sie die perfekte Ehefrau – denn dann hat sie Geduld, aber auch genug Selbstbewusstsein, im richtigen Moment schnell zu handeln.«

Ich schaue Layla an. »Musstest du auch schon Kaffee kochen?«

»Ich glaube, das macht man heute nicht mehr«, sagt sie und kichert.

»Layla, mein Mädchen, es tut mir wirklich leid, dass deine Mutter nicht kommen konnte«, sagt Onkel Khaled nun. »Sie hat deinem Vater nicht verziehen, dass er gegangen ist, das musst du verstehen. Deine Tante sagt immer, Glück sei dort zu Hause, wo es die Hoffnung auf mehr gibt, in diesem einen Moment, der viele weitere birgt. *Inshallah* wird es für Rami und dich so sein. Für deine Mutter war der Moment nur kurz, und du musst ihr verzeihen.«

Draußen wird zum Gebet gerufen, und Onkel Khaled steht auf, um sich vorzubereiten. Im Vorbeigehen drückt er Layla, die nun zusammengesunken auf ihrem Stuhl sitzt und auf den Fotostapel starrt, einen Kuss auf die schwarzen Locken. Mir klopft er kurz auf die Schulter. Meine kleine Schwester hat Tränen in den Augen. Laylas Tränen rauben mir den Atem, und immer möchte ich jemanden dafür verantwortlich machen. Alex oder Barbara oder jeden anderen Idioten, der ihr jemals was getan hat. Layla und ich, wir sind uns nie fremd gewesen.

In der Nacht schlafe ich unruhig und träume von einem Sumpfgebiet. Ein Moor, das von Palmen umgeben ist; der Boden ist dunkelbraun und dampft, weich und sanft gibt die Erde unter meinem Schritt nach, ich sehe im Traum auf meine nackten Füße, die bis über die Fesseln in dem Schlick stecken. Kleine Käfer kriechen mein Bein hoch, in mein Hosenbein. Gelbe Käfer und grüne. Der Dunst fühlt sich heiß und feucht an, kriecht genau wie die Käfer in meine Hosenbeine, in meine gesamte Kleidung.

Ich bin in einem leeren Hausflur, einem großen dunklen Treppenhaus mit hohen Fenstern, wo am Absatz eine Frau steht und zu einem der Fenster hinausschaut. Die Frau ist eingewebt in dünne, seidenartige Fäden, nur dass sie vollkommen fest, steif erscheinen. Ein Kokon aus Glas, eine Frau, sie schaut zum Fenster hinaus.

Durra

Der angekündigte Wochenendausflug führt uns ans Meer. Rami hat ein großes Ferienhaus gemietet, für die ganze Familie, damit wir alle noch einmal entspannen können, bevor der Hochzeitstrubel losgeht. Das Haus liegt in Durra, eine Stunde von Jeddah entfernt. »Die Anlage ist ganz neu und modern. Da fahren die Mädels sogar Auto und können ohne Abaya rumlaufen«, hatte er mir am Abend noch erzählt. »Alles ganz locker da, die Frauen gehen auch schwimmen und sitzen an der Promenade in den Restaurants.« Rami scheint es wichtig zu sein, dass ich ihn für liberal halte. Vermutlich ist er das sogar.

Früher haben wir fast jedes Wochenende am Meer verbracht, aber nicht in Durra. Mein Vater hat nie ein Haus gemietet, sondern unser Auto vollgepackt mit Teppichen, Kühlboxen und seiner Wasserpfeife. Wir sind einfach mit dem Wagen auf den Strand gefahren wie alle anderen Familien auch, direkt in der Stadt, kurz abseits der Corniche. Barbara hat die Teppiche ausgebreitet, Layla und mir unsere Badesachen angezogen, während mein Vater in einer Tonschale Kohle für seine Shisha angezündet hat.

Am Abend haben wir auf derselben Tonschale Maiskolben und Spieße mit Hackfleisch gegrillt, Layla und ich gruben den halben Strand um, schwammen im Meer, und unsere Eltern sahen uns, im Schatten des Autos sitzend, dabei zu.

Layla und ich fahren mit Rami, die anderen kommen im Konvoi hinter uns her. Ich sitze neben ihm, Layla auf der Rückbank wie früher. »Vorne wird mir schlecht, weißt du doch«, hatte sie gesagt, als ich ihr den Platz neben Rami anbot. Die Nachmittagssonne blendet grell, und ich setze meine Sonnenbrille auf.

Die Fahrt aus der Stadt raus ist zäh und lang. Dicht an dicht schlängeln sich die Autos über die Corniche und in Richtung Schnellstraße. Aus den Fenstern winken kleine Kinder, die Fahrer hupen und brüllen sich gegenseitig an, die Frauen ziehen ihre Kopftücher zurecht. Ich werfe einen Blick in den Rückspiegel. Layla trägt nur ihre schwarze Abaya über ihrem roten Sommerkleid. Das Kopftuch liegt wie ein Schal um ihre Schulter, ihre Haare hat sie mit einer großen Sonnenbrille zurückgeschoben. Unsere Blicke treffen sich. Sie lächelt ihr entwaffnendes Lächeln, zwinkert mir zu und reicht mir ein Kaugummi. Rami telefoniert ununterbrochen über sein Headset, zunächst mit Arbeitskollegen, dann bestellt er Essen für den Abend.

Die Sonne steht schon tief, als wir Durra erreichen. An der Pforte des bewachten Ferienkomplexes überprüft ein Guard Ramis Ausweis. Er trägt eine weiße Fantasieuniform, eine Maschinenpistole locker über die Schulter gehängt und ist vermutlich nicht älter als sechzehn. Rami versetzt mir einen leichten Stoß mit dem Ellbogen. »Das wird super, mein Freund. Die Anlage ist ganz neu, wird dir gefallen.« Sein Stolz und seine Aufregung haben beinahe etwas Rührendes.

Wir fahren langsam durch die Anlage mit ihren kleinen Läden, Strandlokalen, bepflanzten Kreisverkehren und einer kleinen Kirmes. Die Karussells geben aufdringliches Kreischen und Pfeifen von sich, bunte Lichter glitzern in der frühen Abenddämmerung, das Ganze wirkt wie ein Filmset. Layla legt mir die Hand auf die Schulter, und ich drehe mich um. »Besser als Disneyland, oder?«, flüstert sie, und wir grinsen uns an. »Hey ihr zwei«, ruft Rami lachend. »Habt ihr etwa Geheimnisse vor mir?« Zum ersten Mal seit meiner Ankunft habe ich das Gefühl, dass sich der Knoten in meiner Brust ein wenig löst.

Unser Haus befindet sich am äußeren Rand des Komplexes, in einer Reihe mittelgroßer Ferienvillen. Vor den Gebäuden stehen wuchtige Autos, pakistanische Fahrer sitzen auf den Bordsteinkanten, rauchen Zigaretten und essen Sandwiches.

»Kommt erst mal rein«, sagt Rami und schließt das Tor zum Hausaufgang auf. »Die Taschen lasst im Auto, das machen nachher die *shaghalat*.«

Im Innenhof vor der Haustür befindet sich ein kleiner, beleuchteter Pool. »Yes! Mit Jacuzzi! So habe ich mir das vorgestellt.« Rami breitet die Arme aus, als hätte er das Haus selbst gebaut. Ich nicke nur stumm, während Layla Ramis Hand nimmt und ihm etwas zuflüstert. Sie lachen miteinander, ich stecke die Hände in die Hosentaschen und schaue auf den Pool.

Auch das Innere des Hauses kann sich sehen lassen. Allein im Wohnzimmer hätte meine gesamte Wohnung Platz, an der Wand hängt ein mächtiger Fernseher, der wie von Zauberhand bereits alte Konzertmitschnitte zeigt.

Inzwischen sind auch die anderen angekommen, Omar mit Frau und Kindern, Basma und Khaled, noch mehr Cousins und Cousinen. Rami teilt sie auf die sechs Schlafzimmer auf, ich höre nur halb hin, der Familienlärm hat längst eingesetzt.

Vom Wohnzimmer aus führt eine verglaste Schiebetür geradewegs in einen kleinen Garten, der sich zum Meer hin öffnet. Er ist mit Bougainville- und Rosenhecken vom Nachbargrundstück abgetrennt, es gibt Rattanstühle und ein Sonnensegel. Irgendjemand hat vor unserer Ankunft bereits drei Wasserpfeifen bereitgestellt.

Ich ziehe meine Schuhe aus und gehe langsam vor zum Wasser. Meine Zehen sinken ein im warmen, weichen Sand. Die Sonne ist fast untergegangen, der Himmel hat sich rot und gelb und lila verfärbt. Am Strand stehen kleine Bänke und Sonnenschirme, vergessenes Spielzeug liegt herum, in der Ferne schimmern die Lichter eines kleinen Jachthafens. Das Meer schlägt sachte Wellen unter der schwülen Abendluft. Fast könnte man vergessen, wo man sich eigentlich befindet auf der Welt.

Hinter mir am Haus vermischen sich zwei Dutzend Stimmen, die Musik aus dem Fernseher wird aufgedreht, und es dringen laute Gesprächsfetzen zu mir herüber. Ich schließe kurz die Augen und atme die schwüle Luft ein.

»Basil? Basil! *Ya Basha*, komm, wir gehen das Essen abholen, baden kannst du später.« Omar ist neben mir aufgetaucht, er trägt rot geblümte Hawaii-Shorts, ein T-Shirt der Michigan University und grüne Flipflops.

»So was habt ihr in Deutschland nicht, oder?«, sagt er, zeigt aufs Wasser und bietet mir eine Zigarette an.

»Wir haben einen Hafen und einen Fluss, der auch direkt ins Meer führt«, sage ich und zünde mir die Marlboro an.

»Ja, einen Hafen haben wir hier auch, aber da kann man nicht schwimmen. Komm, wir erledigen das schnell, darfst auch hinters Steuer.«

Wir fahren durch den hell erleuchteten Ferienkomplex zur Jachthafen-Promenade, vorbei an kleinen Geschäften, die Wasserbälle und Luftmatratzen anbieten, in den Schaufenstern hängen bunte Bikinis.

In den Restaurants sitzen tatsächlich Frauen und Mädchen ohne Abaya und rauchen ungeniert Wasserpfeife zu ihren Fruchtcocktails, aus den Lautsprechern dröhnt amerikanischer Neunzigerjahre-Pop.

Wir parken den Wagen und schlendern auf eins der Lokale zu. Über der offenen Theke prangt ein großes beleuchtetes Schild, das in roten und grünen Schriftzügen die libanesischen Grillspezialitäten anpreist. Schon von Weitem kann ich die zwei großen Öfen mit offenem Feuer sehen, und es riecht herrlich nach gegrilltem Fleisch.

Wir setzen uns auf die Terrasse, unser Essen ist noch nicht fertig, und der Inhaber stellt uns zwei Gläser Tee hin. »Fürs Warten«, sagt er, gibt uns beiden die Hand und tauscht ein paar Höflichkeiten mit Omar aus. Neben uns am Tisch sitzt eine Gruppe Teenager, die auch zu Hause in St. Pauli kaum auffallen würde. Große Hornbrillen, noch größere Kopfhörer, jeder mit seinem iPhone beschäftigt. Sie reden Englisch und Arabisch miteinander, fotografieren sich und ihr Essen, eines der Mädchen schreibt in ein schmales, schwarzes Notizbuch.

Plötzlich kommt ein weiteres Mädchen angelaufen und tuschelt mit den anderen. Dann wirft sie auch uns einen Blick zu und gestikuliert mit den Händen. *»Fi Hay'a!«*, zischt sie, und mit einem Mal kommt Bewegung in die Gruppe. Die Mädchen ziehen sich blitzschnell ihre Abaya und Kopftücher an, einige laufen ins Restaurant. Die Jungs stehen vom Tisch auf und verschwinden hinter der Trennwand zum Männerbereich des Lokals. Auf dem Tisch bleiben vereinsamt ein paar bunte Cocktails und eine halb leere Schüssel mit Kartoffelecken zurück.

Als ich Omar fragend ansehe, zuckt er nur mit den Schultern. *»Hay'a«*, sagt er. »Religionspolizei.«

Tatsächlich kommen einen Augenblick später zwei bärtige junge Typen in wadenlangen Thowbs um die Ecke und patrouillieren die Promenade entlang. Einer von ihnen ruft einer jungen Mutter zwei Flüche hinterher, dass sie in die Hölle komme, weil sie mit ihrem kleinen Sohn in der Öffentlichkeit Fahrrad fahre. Die Frau schüttelt nur den Kopf und fährt weiter.

Der andere Typ sieht uns auf der inzwischen komplett verlassenen Terrasse des Lokals sitzen, raunt seinem Kumpel irgendwas ins Ohr und steuert geradewegs auf uns zu. Ich höre nur: *»Haram!«*, »Family Section!«, »Männer hinter die Wand!«, »Schämt euch, ihr wollt nur unsere Frauen anglotzen!«

Aus einem Reflex heraus hebe ich mein Handy, um ein Foto von den beiden zu machen und es Alex und Layla zu schicken.

Die hätten sich totgelacht. Aber Omar legt sanft die Hand auf meinen Arm und drückt sie runter. »Vergiss nicht, wo du bist«, flüstert er, und für einen kurzen Moment weiß ich nicht, ob er einen Scherz macht oder die Sache ernst meint.

Inzwischen hat sich einer der Restaurantangestellten zu den Bärtigen gestellt, redet auf sie ein und gestikuliert wild. Die beiden schauen noch einmal zu uns herüber, geben dem Angestellten die Hand und ziehen weiter.

Omar schaut mich streng an, dann lacht er. »Jetzt guck nicht so entsetzt, *ya Basha!* Da darf man sich nicht drüber aufregen. Die haben seit Kurzem ein Büro hier und meinen, aufräumen zu müssen. Man darf denen einfach keine Angst zeigen. Es ist wie bei Hunden.« Er erhebt sich aus dem Stuhl. »Komm, höchste Zeit, dass wir was zu futtern bekommen.«

Nach dem Essen sitzen Layla und ich in Liegestühlen direkt am Wasser, über uns hängen bunte Lichterketten, im Rasen stecken ein paar Gartenfackeln, die einen leichten Spiritusgeruch verströmen. Die anderen sind schon zu Bett gegangen, nur Omar und Rami hängen noch vor dem riesigen Fernseher und zocken Playstation, die sie nach endlosem Friemeln und Fluchen ans Laufen gebracht haben. Wir schauen aufs Meer, wie es immer und immer wieder gegen die Steine schwappt, gegen die Kiesel, drüber hinwegwischt, ganz leise, immer und immer wieder.

»Ich hab die Stadt einfach gehasst«, sagt Layla irgendwann. »Das Graue, die Stille. Das Drückende. Und dass sie uns immer erzählt haben, das sei alles ganz toll so, dass wir das Beste aus beiden Welten bekommen, dass wir nur Vorteile hätten, weil wir zwei so verschiedene Kulturen kennen. Aber dass die meisten anderen, die man trifft, immer wollen, dass man sich für eine Seite entscheidet, dass sie immer nur suchen, was ihnen bekannt vorkommt, das haben sie uns nie gesagt. Dass dieser Graben nie endet, sich nie schließen wird und dass man nie irgendwo richtig hingehört. So was sagt dir niemand.«

Ich schaue sie an, ihr Gesicht liegt halb im Schatten, aber ihre Augen leuchten. Es ist das erste Mal, dass sie etwas sagt, das nur für mich bestimmt ist, das erste Mal in all diesen Tagen. Sie hat erklärt, vermittelt, organisiert und milde gelächelt. Und jetzt ist sie plötzlich da, ganz nah und genauso laut und leidenschaftlich, wie ich sie kenne. Aber ihr Blick bleibt starr aufs Meer gerichtet.

»Und dann stellen sie blöde Fragen«, sagt sie, »›Oh, hat deine Familie Ölquellen?‹, und ›Oh, du bist bestimmt froh, dass du hier nicht verheiratet werden kannst!‹ Es wird immer sofort angenommen, dass die eigene Seite die bessere ist und dass wir das Grau, den Rollsplit und die ordentlich gestutzten Hecken mit den Vorgärten dahinter bevorzugen müssten.«

Ich nehme einen Schluck von meinem frischen Mangosaft und zucke zusammen, weil er so süß ist. Selbst die Früchte sind hier überzuckert.

Natürlich hat Layla recht mit dem, was sie sagt. Trotzdem macht es mich irgendwie wütend. »Ist das alles wirklich so schlecht zu Hause?«, frage ich patzig und lehne mich zurück. Ich muss an Barbara denken, die in ihrer Küche sitzt und raucht und Puzzle zusammenlegt, an Juli, die sich nicht traut, mir zu sagen, dass sie eine richtige Beziehung will, und an

Alex, der sich seit Monaten nicht gemeldet hat, weil ihm das ganze Drama um meine Schwester am Ende zu viel wurde und er uns lieber ganz aufgibt, als sich dem auszusetzen. Aus dem Wohnzimmer kommt lautes Gelächter und der Lärm eines Formel-1-Rennens.

»Ich muss dir das doch nicht erklären, Basil, oder? Bullshit ist das, absoluter Schwachsinn, dieses ›Ach, wie toll, zwei Kulturen‹. Es will doch keiner wirklich etwas wissen. Wie viel Zeit habe ich verschwendet mit Leuten, die mir immer wieder erklären wollten, dass irgendetwas mit mir nicht stimmt, und die mich heilen wollten, weil ich nicht sehe, wie toll doch alles ist. Bis man selbst glaubt, dass man nicht mehr ganz richtig tickt. Aber weißt du was: Die fühlen nicht dasselbe für dich wie du für sie. Die Menschen finden dich interessant, aber die Brüche, die verstehen sie nicht.«

An Laylas Hals haben sich kleine rote Flecken gebildet, wie immer, wenn sie sich in Rage redet. Mit den nackten Füßen malt sie Kreise in den Sand und vermeidet weiter, mich anzusehen.

»Dieses ganze ›Oh wie toll, oh wie spannend‹«, macht sie weiter. »Die sollen mich alle in Ruhe lassen damit! Ich will das nie wieder hören. Ich will nur meine Ruhe. Und hier verstehen sie zwar mein Leben dahinten nicht und haben keine Ahnung, wie wir aufgewachsen sind, aber es ist ihnen auch egal. Sie nehmen mich so hin, und wenn sie was nicht verstehen, dann zucken sie einfach mit den Schultern und sagen: ›Ach, das ist ihre deutsche Seite.‹«

»Ich weiß ja nicht«, sage ich. »Im Moment siehst du das vielleicht so, aber glaubst du nicht, in einem Jahr oder …«

»Natürlich hat man dahinten mehr Möglichkeiten«, unterbricht sie mich. »Vor allem als Frau. Aber was bringt mir das denn, wenn die Freude darüber fehlt bei den Menschen? Wenn sie stumm und kalt bleiben trotz all ihrer Freiheit und immer nur alles Bekannte wiederholen? Was bringen mir denn die ganzen Möglichkeiten, wenn sie keine Verbindung herstellen zueinander? Wenn man einsam bleibt, in der kleinen, drückenden Stadt, weil man so viele andere Dinge kennt, wenn man nie ganz frei sein kann, weil man sich immerzu entscheiden soll, und auch noch glücklich sein darüber. Wenn du ihnen immer bestätigen sollst, wie froh und dankbar du bist, dass du da sein darfst? Ihr Mitgefühl hat einen Preis: diese ewige Dankbarkeit, Dankbarkeit für falsch motiviertes Mitgefühl. Soll ich mich ewig auf die Knie werfen, weil ich in diesem kleinen, dumpfen Kaff unter blassen, grauen Menschen aufwachsen durfte, die dachten, unsere Mutter sei bei Nacht und Nebel mit uns Kindern geflüchtet, um ihrem brutalen Ehemann zu entkommen? Du weißt doch, wie oft ich diese Geschichte gehört habe. ›Ach ja, Saudi-Arabien, wie in *Nicht ohne meine Tochter!*‹ Ich könnte kotzen, Basil! Wer hat dich denn je gefragt, wie es wirklich war? Wie es sich anfühlt unter Kindern, von denen niemand ist wie du? Wer wollte denn was wissen? Die dachten doch immer alle, die wissen schon alles, und haben sich ihr Bild gemacht, sobald sie deinen Namen gehört haben. Die erste Hälfte meines Lebens sollte ich die mysteriöse Wüstenprinzessin sein mit den großen Augen und der Pyramide im Vorgarten. Und dann kam dieser verfluchte 11. September, und wir waren auf einmal alle Terroristen. Vorher wusste doch kaum jemand, was Islam überhaupt ist, und wir waren irgendwie alles Leute, die aus dem Land der Kamele kamen. Du hast den ganzen Scheiß doch auch mitgemacht, Basil, also tu nicht so, als würde ich mir das einbilden! Ich musste auf einmal Mädchen mit Kopftuch in Schutz nehmen, obwohl ich selbst nie ein Kopftuch tragen wollte, ich hab mich auf einmal gezwungen gefühlt, eine Religion zu verteidigen, mit der ich überhaupt nichts zu tun habe, außer, dass ich reingeboren wurde. Der Klempner sagt: ›Oh, Sie sprechen aber gut Deutsch‹, und fragt, ob ich diese Terrortypen kannte, die von der Hamburger Uni kamen.« Sie bückt sich nach einem Stein und wirft ihn mit voller Wucht ins Meer.

»Hier habe ich ein echtes Zuhause, Basil, einen Ort, von dem aus ich überall hingehen und an den ich zurückkommen kann und wo niemand will, dass ich mich gegen was anderes entscheide.«

»Hey, wir gehen schlafen, ihr beiden«, ruft Rami uns von der Terrasse aus zu. »Pass gut auf meine Braut auf, *ya akhi.*« Ich hebe den Daumen. Als ich mich wieder umdrehe, schaut Layla mich zum ersten Mal an. Ihre Augen sind weit aufgerissen und gerötet.

»Du schluckst das immer nur, Basil. Oder weichst aus, gehst weg, sperrst alles aus. Du hast dich eingefroren wie unsere Mutter, du lebst auf den gleichen drei Gefühlsquadratmetern, weil du nicht weißt, wohin mit dir. Verdammt noch mal, Basil, mach was mit deinem Leben, entscheid dich für irgendwas! Barbara hat sich vor langer Zeit vom Leben abgemeldet. Willst du auch so leben? Ganz ehrlich?«

Ich will protestieren, aber sie nimmt nur meine Hand und drückt sie ganz fest.

»Dahinten ist zu wenig Platz für Schönes, Basil, zu wenig Platz für Wärme. Da ist Abstand und Filter. Ich hab die Filter so satt. Warum kann denn dahinten niemand einfach mal sagen, was er fühlt?« Ihre Hand beginnt leicht zu zittern. Sie atmet zwei-, dreimal tief ein und aus.

»Nach Alex hatte ich Angst, dass ich alles gefühlt habe, was ich jemals würde fühlen können«, sagt sie. »Und dann bin ich hier gelandet, und sie lassen mich einfach. Sie lassen mich. Egal, was hier fehlt, was mir alles nicht passt.«

»Wir hatten ja auch niemanden, der uns dabei hätte helfen können«, sage ich. »Der uns gezeigt hätte, wie das geht mit dem Leben in der Lücke.«

Layla schaut mich von der Seite an, ein bisschen fragend. »Ich hatte aber doch immer dich«, sagt sie. »Du und ich, das hat sich immer richtig angefühlt.«

»Manchmal weiß ich nicht, wie Fühlen sich anfühlen soll«, sage ich und zünde mir eine Zigarette an. Ich versuche, einen Ring zu blasen, aber Ringe blasen kann nur Alex.

Layla sprach seinen Namen fast nie aus. Schon früher nicht. Als sei er ein Geheimnis, als dürfte niemand, als dürfte sie selbst nicht wissen, dass es eine Verbindung zwischen ihnen gab. »Ist ER da?«, fragte sie mich dann, »Hast du IHN gesehen.« Es gibt Bilder von ihnen beiden, in den Ferien oder aus unseren gemeinsamen Urlauben, in denen sieht man Layla an, dass sie verliebt ist, dass sie scheu und verwundbar in die Kamera lächelt, während Alex immer etwas zurückhält, sein Gesicht verzieht oder eine Grimasse schneidet. Dabei hält er Layla aber immer ganz fest, als gehöre sie ihm, als sei sie Teil seines Körpers. Mit seinen langen Armen und seinem großen, breiten Kreuz hat er sie ganz umschlossen, eingerahmt in seinen knappen zwei Metern, sodass niemand vordringen kann zu ihr, und vielleicht auch, damit ihr nichts passiert. Er schützt sie und hält sie zurück.

»Einmal«, sagt Layla leise, »habe ich Alex gefragt, was er sich eigentlich wünscht. ›Dass du jemanden findest, den du liebst, mich aber trotzdem auch noch liebst‹, hat er gesagt. Er war einfach immer gern auf der sicheren Seite.« Layla fischt eine Zigarette aus meiner Schachtel. Sie schaut kurz zum Haus, um sicherzugehen, dass auch wirklich alle Lichter aus sind und die alten Tanten schlafen. Dann steckt sie sich die Kippe an.

»Ich weiß eigentlich auch nicht, warum wir immer so grausam zueinander waren«, sagt sie dann. »Wir wussten ja, dass wir uns liebten. Aber vielleicht haben wir geglaubt, wir hätten das nicht verdient, diese völlige Zuwendung, dass dich jemand unbedingt annimmt. Vielleicht haben wir Liebe auch einfach verwechselt und geglaubt, Whisky trinken, rauchen, ab und zu über Bücher sprechen und uns mit Verlust auskennen, das könnte reichen, und wir nennen es dann mal Liebe. Aber er hat es eben immer als Einziger verstanden. All die Wut und die Traurigkeit, die nie verschwindet, wenn man Menschen oder Orte verliert. Er hat gewusst, wie viel Kraft das alles kostet. Ihm brauchte ich das nie erklären. Aber am Ende muss man wahrscheinlich auch wollen, muss es für möglich halten, dass es trotzdem schön sein kann im Leben, trotz des ganzen Schmerzes.«

»Alex hat Besitzanspruch mit Liebe verwechselt«, sage ich, aber Layla schüttelt den Kopf.

»Nein, hat er nicht. Er hat Liebe mit Besitzanspruch verwechselt. Deshalb musste ich auch weg.«

»Vermisst du ihn manchmal?«, frage ich.

»Nicht mehr. Nur noch manchmal die Idee von ihm. Weißt du, was ich meine? Ich vermisse die Vorstellung von diesem großartigen, leuchtenden Menschen, der er in meinem Kopf immer war. Die Vorstellung von diesem liebevollen, witzigen Mann, den ich so geliebt habe. Aber dann sehe den echten Mann vor mir, der nicht umgehen kann mit seinen eigenen Gefühlen oder denen anderer Menschen, der immer nur redet, der das Kümmern gelernt hat, aber nicht das Lieben, der lieber ausweicht, anstatt mal was zu fühlen. Aber ich vermisse auch manchmal die Leichtigkeit, die wir hatten, und dieses Unbedingte, weil wir zusammengehören wollten. Doch der Preis war immer zu hoch. Und hier, weißt du, zahle ich keinen Preis dafür. Vielleicht sind wir nicht so intensiv miteinander, Rami und ich, aber wir verstehen uns, und wir sind uns einig. Das ist mehr wert, als du dir vorstellen kannst.«

Ich weiß genau, was sie meint. Alex hat nie auf seine Dinge aufgepasst. Ständig hat er etwas verloren, Geschenke, die er unachtsam behandelt hat, lieblos, die plötzlich weg waren. Mich hat das immer wütend gemacht, weil er genauso wenig auf Layla aufgepasst hat. Weil ich es ihm in die Schuhe geschoben habe, dass Layla plötzlich weg war, von einem Tag auf den anderen, dass sie ihre Sachen gepackt und mich allein gelassen hat mit Alex und seinen verschwindenden Dingen. Und dass sie jetzt hier ist und in ein paar Tagen ein neues, ganz anderes, altes Leben heiraten wird. Ein Leben, das mir keinen Platz mehr lässt.

»Hast du dich eigentlich von ihm verabschiedet?«, frage ich. »Weiß er, dass du hier bist und heiratest?«

»Ich hab lange überlegt, ob ich ihm schreiben soll«, sagt Layla. »Immer wieder, weißt du. Aber er hat mich ja auch nie gesucht. Ich war eines Tages einfach weg, und er hat das hingenommen.«

»Er wusste ja auch nicht, wie er dich hätte erreichen sollen.«

»Ach, das ist doch Blödsinn. Er hätte mir schreiben können oder dich fragen, du hattest immer meine Nummer, egal, wo ich war. Hat er dich je gefragt?«

Ich schüttle den Kopf, und Layla nickt.

»Ich habe lange gedacht, dass ich keinen eigenen Abschied wert bin für ihn. Hab jeden Tag nachgeschaut, E-Mails und Post und mein deutsches Telefon. Nichts. Und dann war ich mir selbst damit überlassen, ihn loszulassen, weil es nie ein Gespräch über einen Modus geben würde. Langsam ist er dann weniger geworden in mir, immer kleiner. Und dann dachte ich, warum soll ich das jetzt wieder rückgängig machen. Ich weiß sowieso, was er sagen würde.«

Ich weiß, dass sie recht hat. Seit seinem Auszug hatte Alex sich auch bei mir nicht gemeldet, und vorher habe ich ihn nur einmal zufällig dabei erwischt, wie er eine von Laylas Postkarten las, die sie mir geschrieben hatte und die im Poststapel auf der Kommode in der Diele steckten. Er hat nur drauf geschaut und die Karte wieder zurückgesteckt. Ich bildete mir ein, ich hätte Traurigkeit gesehen in seinem Gesicht, aber wohl nur, weil ich es ihm und Layla gewünscht hätte. Dass sie sehen, selbst sehen, wie traurig sie sich gegenseitig machen.

»Lass uns schlafen gehen, *ya akhi*«, sagt Layla auf Arabisch. »Morgen geht's weiter mit all den schönen Dingen: Sonne, Essen und Lärm. Wenn das erst mal vorbei ist, wirst du es vermissen. Ich weiß, wovon ich rede.«

Grün

Es wird allmählich wärmer draußen. Der letzte Schnee ist schon ein paar Wochen her, und wir fahren wieder mit Turnschuhen zur Schule und nicht länger in Stiefeln und dick gefütterten Jacken.

Die Wochenenden verbringen wir fast immer im Garten meiner Großeltern. Barbara hat eine Arbeit im Krankenhaus angenommen und kommt nur manchmal an den Abenden dazu. Wir brauchen das Geld, sagt sie.

Der Garten liegt zwischen vielen anderen kleinen Gärten, hinter der großen Straße am Bahnhof. Die Wege zwischen den Grundstücken sind mit Kies bestreut, weshalb wir nicht gern Rad fahren hier. Die anderen Gärten sind mit Zäunen und Hecken abgegrenzt, andere Kinder gibt es hier nicht.

Mein Opa hat eine kleine Laube in den Garten gebaut, wo wir auch manchmal übernachten. Meine Oma sitzt dann in einem Gartenstuhl aus Plastik, immer im Schatten der Laube, in ihrer Kittelschürze, ein Stofftaschentuch in den Ausschnitt gesteckt, und putzt grüne Bohnen oder Spargel oder schält Kartoffeln in eine große blaue Plastikschüssel. Layla sitzt an einer Ecke des Blumenbeets mit einer kleinen Schippe und buddelt Blumenableger ein und aus. Immer wieder gießt sie die Pflanzen, klopft die Erde mit der Hand fest, streichelt zaghaft über die weichen Blätter.

Ich sitze meist auf dem schmalen Stück Rasen und blättere in den Fußballzeitschriften meines Großvaters. Ich kenne weder die Vereine noch die Spieler, aber die anderen Jungs in meiner Klasse kennen all ihre Namen und tragen beim Sportunterricht die Trikots und im Winter auch manchmal die Vereinsschals, in blau und weiß oder gelb und schwarz oder rot und weiß.

In dem Garten steht auch ein kleines Vogelhaus. Mein Opa hat es gebaut und auf einen Sockel neben die Laube gestellt. Im vergangenen Sommer, als wir noch zu Besuch waren hier und danach wieder nach Hause geflogen sind, stand das Häuschen noch frei und sichtbar auf dem Sockel, und ab und zu verirrte sich eine Meise oder ein Spatz dorthin und pickte von dem Vogelfutter, das wir darin verteilt hatten.

Inzwischen ist das Haus vollständig zugewuchert mit grünem Efeu und kaum noch zu sehen unter den dunklen Blättern, nur noch das Dach kann man erahnen mit seinen kleinen Schindeln. Die Vögel finden es trotzdem noch, immer wieder fliegen sie den Efeustrauch an, schieben die Blätter beiseite, suchen nach Futter hinter dem grünen Vorhang. Layla bringt oft Brotkrümel mit, die sie dann umständlich in den Blättern und auf dem Dach des Häuschens verteilt. Dann setzt sie sich abseits an ihr Blumenbeet und wartet, dass die Meisen und Spatzen ihr Essen finden.

Für uns gibt es manchmal Erdbeerkuchen oder Blaubeerkuchen oder Käsekuchen, den meine Oma von zu Hause mitbringt, und dann dürfen wir eine kleine Tasse Kaffee dazu trinken mit viel Bärenmarke und Kuchen mit Sahne essen. Die ersten Wespen setzen sich auf die Tellerränder, und Layla fragt, was das für Tiere sind. Wespen kennen wir bei uns zu Hause nicht.

Eines Nachmittags laufe ich gemeinsam mit meinem Großvater vor in den Garten, während Layla und meine Oma noch Tüten aus dem Auto tragen. Wir haben Salate mitgebracht und wollen später Würstchen grillen und Stockbrot backen.

Neben dem Vogelhaus an dem Sockel hat sich ein Schwarm Fliegen versammelt und summt laut. Als ich mich nähere, fliegen die Fliegen weg, und ich sehe eine kleine Meise tot im Gras liegen. Die Augen geschlossen, den Schnabel weit geöffnet und die Füße in die Luft gestreckt liegt sie da, als sei sie vom Dach des Vogelhäuschens gestürzt. Ich hocke mich ins Gras neben sie und stupse den Vogel ein bisschen mit dem Finger an. Er bewegt sich nicht, nur zwei weitere Fliegen lösen sich auf die leichte Bewegung der Vogelleiche hin und schwirren davon.

Am Gartentor höre ich meinen Opa nach meiner Großmutter rufen, sie solle nicht vergessen, das Auto abzuschließen.

Ich stehe auf und renne zum Tor, an meinem Opa vorbei, über den Kiesweg und Layla entgegen. Der Kies schiebt sich in meine braunen Sandalen und zwischen meine Zehen, die spitzen Steinchen stechen in meine Fußsohlen.

»Layla, gib mir mal die Tüte«, sage ich, als ich vor meiner Schwester stehe. »Gib mir mal die Tüte und warte kurz hier, ja? Ich muss erst was erledigen.«

Mit ihren großen Augen schaut sie mich an, nickt nur stumm, reicht mir die Tüte und geht zwei Schritte rückwärts.

»Ich komme gleich und hole dich ab. Nicht weggehen hier, ja?«

Ich renne zurück in den Garten, stelle die Tüte mit den Würstchen neben der Laube ab und nehme Laylas kleine Schippe, die in dem Beet steckt. Vorsichtig schiebe ich die Vogelleiche darauf, trage sie hinter die Laube und lege sie auf ein Bett aus Rasenschnitt. Damit die Fliegen die Meise nicht mehr stören, decke ich sie mit Apfelbaumblättern zu. Um das Bett herum lege ich ein paar Steine und lasse noch mehr Gras auf die Vogelleiche rieseln. Layla wird sie nicht bemerken und muss sich nicht erschrecken, aber die Meise kann ihre Ruhe haben.

Ich gehe zurück auf den Kiesweg vor dem Garten und sehe, wie meine Oma versucht, Layla dazu zu bewegen, mit ihr in den Garten zu kommen. Die steht jedoch nur ganz starr da, schüttelt mit dem Kopf und verschränkt die Arme vor der Brust. Als sie mich winken sieht, nickt sie und kommt mir schließlich doch entgegen.

»Kann mir mal jemand erklären, was das jetzt sollte?«, fragt meine Oma.

»Nichts, ich musste nur noch schnell was erledigen«, sage ich.

Mekka

Wir fahren nach Mekka. Das muss sein, sagt Onkel Khaled, »*lazim*, die Familie dort möchte dich sehen«, und dass es wichtig sei, vor der Hochzeit noch einmal den *Haram*, die große Moschee, zu besuchen und Allah um Segen und Beistand zu bitten. In Mekka lebt inzwischen nur noch ein alter Onkel mit seinen zwei Frauen, Kindern und Enkeln. Die einzige Schwester meines Vaters und von Onkel Khaled, *Amma* Salma, ist vor zwei Jahren gestorben.

Als Kinder konnten wir Mekka nicht leiden. Die Besuche bei der Familie wollten wir am liebsten bis zum letzten Moment verhindern. Einmal hatte Layla es sogar geschafft, sich noch auf dem Weg zum Auto zu übergeben, nur um nicht fahren zu müssen. Mekka, das war für uns aus Jeddah eine andere Welt. Eine Welt, in der die Wohnungen klein und spartanisch waren und in der die Zimmer allesamt moderig rochen. Im Haus von Onkel Khaled hat nie eine Trennung nach Geschlechtern geherrscht, die Männer haben immer im selben großen Salon wie die Frauen Karten gespielt und Wasserpfeife geraucht. In Mekka war so etwas unvorstellbar. Layla und ich mussten uns schon am Eingang von Onkel Faisals Haus trennen, ich ging mit unserem Vater eine Außentreppe zur Terrasse hoch, wo die Männer sich um eine rostige Wasserpfeife versammelt hatten. Layla schaute mir dann immer verzweifelt nach, an der Hand von Barbara, und gemeinsam verschwanden sie hinter der Tür zum Wohnzimmer.

»Die sind alle so komisch, Basil«, sagte sie später. »Die Mädchen nehmen da nie ihre Kopftücher ab, und die Sitzkissen sind feucht, und die haben nur doofe Spielsachen. Außerdem muss ich immer die ganzen ekligen Süßigkeiten essen, weißt du, die mit dem rosa Papier, die so kleben und nach Pappe schmecken. Tante Basma steckt die sich immer in die Handtasche und schmeißt sie auf dem Weg zum Auto auf die Straße, hab ich letztes Mal genau gesehen.«

Ich habe Laylas Unbehagen immer geteilt. Auch oben bei den Männern war es trist. Meine Cousins aus Jeddah hatten die neusten Computerspiele, wir spielten im Hof stundenlang Fußball oder Verstecken. In Mekka saßen die Jungs dicht an ihre Väter gedrängt, klapperten mit den Gebetsketten aus Glas oder Bernstein und redeten kaum ein Wort miteinander. Manchmal hatte jemand ein Kartenspiel dabei, aber niemand wusste so recht, auf welches Spiel man sich einigen sollte, also hockten wir meist nur schweigend nebeneinander. Zu trinken gab es Orangen-Miranda oder die billige Cola aus Dosen, die viel zu süß war und nicht so schmeckte wie die, die wir zu Hause hatten. Die Dachterrasse war mit alten Teppichen ausgelegt, und ein pakistanischer Hausboy brachte jede Stunde frische Holzkohle in einem Blecheimer und feuerte die Shisha neu an. Über der Terrasse war ein löchriges Netz gespannt, um Insekten und Sonne fernzuhalten und den Blick auf die umliegenden Häuser zu verschleiern. In der Ferne, hinter den Hügeln und den engen verwinkelten Gassen der Altstadt hörte man noch am späten Abend den *Adhan* aus dem *Haram.* Dann hallte die Stimme des Imam minutenlang laut und glasklar über die Dächer und rief zum Gebet. In meiner Erinnerung sind das die einzigen schönen Momente im Haus von Onkel Faisal.

Nun fahren wir zu viert, Onkel Khaled am Steuer, Layla und Tante Basma auf der Rückbank, aus Jeddah heraus in Richtung Mekka. Der Lexus riecht neu, und die Fußmatten sind noch in blaue Plastikfolie eingeschlagen. Die Armaturen glänzen wie poliertes Mahagoni. Die Straßenschilder zeigen bereits »Makkah al-Mukarrama« an, und neben dem Schriftzug ist eine stilisierte Kaaba abgebildet. Die Stadt um uns herum wird immer weniger, die Autobahn mündet in einen Wüstenstreifen. Links und rechts flankieren Felsen den Weg, nach ungefähr einer halben Stunde passieren wir eine große Militärbasis.

Vor der Einfahrt nach Mekka teilt sich die Autobahn in vier Spuren. Ich glaube nicht, dass das früher auch schon so war, kann es aber nicht mit Sicherheit sagen. Es gibt eine extra abgeteilte Busspur, in der schon eine Handvoll Reisebusse aufgereiht stehen und warten. Vor uns staut sich der Verkehr.

»Habt ihr eure Pässe?«, fragt Onkel Khaled.

Ich drehe mich zu Layla um und sehe sie fragend an. Sie trägt nicht wie sonst ihren locker gelegten hellen Leinenschal um den Kopf, sondern eine schwarze Abaya, komplett mit Kopftuch. Darunter schimmert ein weißes Haarband hervor, das sie tief in die Stirn gezogen hat, damit keine einzige Haarsträhne sichtbar bleibt. Die Abaya hat sie bis zum Hals zugeknöpft, ihre Hände umfassen locker die meiner Tante Basma, die ebenfalls von oben bis unten in Schwarz gehüllt ist. Mir fällt es schwer, diese Version von Layla mit derjenigen in Verbindung zu bringen, die in ihrem blauen Sommerkleid in unserer Küche saß und mit mir Whisky getrunken hat. Andererseits bin auch ich hier in Mekka froh um meinen Thowb und meine Ghutra.

»Man darf ja nur als Moslem nach Mekka, das weißt du doch«, erklärt sie. »Die kontrollieren hier die Pässe bei der Einfahrt in die Stadt. Ist nur ein kleiner Checkpoint.«

Die uniformierten Typen in dem Grenzposten werfen bloß einen gelangweilten Blick in unseren Wagen und winken Onkel Khaled einfach durch. Es dämmert bereits leicht, und der Himmel wirkt in all seiner Staubigkeit ein bisschen golden. Kurz hinter dem Checkpoint führt eine neue Straße geradewegs auf den *Haram* zu. Ein riesiges Tor umspannt beide Straßenseiten mit ihren sechs Spuren, ein Tor aus Stahl und Marmor, das einen aufgeschlagenen Koran darstellt. Die Straßenränder sind bunt bepflanzt mit Rosen und Marigold, in den Beeten tummeln sich abgemagerte, humpelnde, dreckige Straßenkatzen. Ich suche nach Hinweisen auf die marode Altstadt unserer Kindheit, kann aber nichts finden.

Der Verkehr bewegt sich nur sehr langsam voran, und zwischen den Autos schleichen bettelnde Männer und Frauen umher, klopfen an die Scheiben der Autos und strecken die

Hände nach Almosen aus. Einige von ihnen verkaufen einzelne Packungen Taschentücher, Kaugummi oder Blumenketten. Layla lässt ihr Fenster herunter und reicht einer Frau ein paar Geldscheine.

»*Allah y'khaliki, ya Okhti* – Gott segne dich, Schwester«, lallt die Frau. Gebückt und mit dem Oberkörper hin und her wippend reicht sie Layla eine Yasminkette, Layla bedankt sich und erwidert die Segenswünsche. Ich starre auf die blau eingeschlagenen Fußmatten.

Vor uns taucht der große Uhrenturm auf. Der hatte es selbst in Deutschland in die Presse geschafft, ein Turm, mehrere Hundert Meter hoch, Zentrum einer Hotel- und Shoppinganlage, unmittelbar neben der großen Moschee. Die Uhr selbst ist von Rolex gesponsert, und der goldene Schriftzug prangt aufdringlich auf dem Ziffernblatt.

Auf dem Parkplatz vor der Moschee sind nun auch die Reisebusse angekommen, die zuvor neben uns am Checkpoint gewartet hatten. Hunderte von ärmlich gekleideten Asiaten, Afrikanern und Arabern, allesamt in einfache weiße Tücher oder Kaftane gehüllt, strömen aus den Bussen und in Richtung Vorplatz der Moschee. Sie tragen Plastiktüten oder Kühlboxen, einige haben bunte Bändchen mit Anhängern um den Hals, die sie als Mitglieder einer bestimmten Reisegruppe ausweisen. Insgeheim hoffe ich, irgendwo ein blondes Fräulein mit einem in die Höhe gestrecktem Regenschirm zu sehen. Alex würde das alles hier sehr gefallen, denke ich und frage mich, ob Layla auch grade an ihn denkt.

Onkel Khaled übergibt den Lexus einem der livrierten Parkwächter und nimmt sein Parkticket entgegen. Gemeinsam strömen wir in der Welle einer malaysischen Pilgergruppe auf die Moschee zu.

»Wir müssen Omar erst suchen, er wollte dahinten auf uns warten«, sagt mein Onkel und geht energisch vor uns her. Seinen Spazierstock mit dem Messingknauf benutzt er heute nur als Accessoire.

Nichts hier hat noch Ähnlichkeit mit dem Ort unserer Kindheit. Die Stadt blitzt und blinkt, alle paar Meter sind Hinweisschilder auf den nächsten McDonald's, KFC oder Starbucks angebracht. Der Uhrenturm überschattet die Minarette, und überall um uns herum zücken die Leute ihre Smartphones und fotografieren sich gegenseitig vor der heiligsten Stätte des Islam. Junge Frauen mit Louis-Vuitton-Taschen und Cavalli-Sonnenbrillen neben gebückten pakistanischen Frauen in geblümten Kopftüchern und Hennamalerei im Gesicht. Ich versuche, Blickkontakt mit Layla aufzunehmen, doch sie hat sich bei meiner Tante untergehakt, stützt sie vorsichtig und lässt geduldig auf sich einreden. Onkel Khaled hat Omar bereits gefunden und zieht den Schritt nun noch ein wenig an.

»Ya Basha!«, ruft Omar. »Gut siehst du aus, Cousin! So gehst du demnächst in Deutschland auch zur Arbeit! Haben wir doch noch einen richtigen Saudi aus dir gemacht.« Er klopft mir auf die Schulter und lacht. »Komm, wir machen ein Foto!« Er nimmt sein Smartphone aus der Brusttasche, legt einen Arm um mich, den anderen streckt er nach vorn aus, die Kamera auf uns gerichtet, die Minarette im Hintergrund. »Say *Allaaaaaah.* Sehr schön. Ich poste es bei Facebook, dann kannst du es deinen Freunden in Deutschland zeigen!«

Wir schlendern über den weiß leuchtenden Marmorplatz zum Haupteingang der Moschee. Menschengruppen haben sich auf Picknickdecken zusammengesetzt, überall verkauft jemand etwas – Getränke, Koranausgaben, Spielzeug oder bunte Ballons. Ich fühle mich wie auf dem Hamburger Dom, nur die Achterbahnen fehlen. Am Eingang trennen wir uns von Layla und Tante Basma, die sich in den Frauentrakt zum Gebet begeben. Rechts und links den Säulengang entlang drängen sich die Leute um die Wasserquellen. Plastikbecher liegen zu Hunderten auf dem Boden.

»Komm, wir füllen uns auch etwas von dem *Zamzam* ab«, sagt Omar. Die Wasserquelle von Mekka, *Zamzam,* soll heilig sein und sämtliche Krankheiten heilen.

»Die Frau von Prinz Naif hatte Krebs letztes Jahr«, sagt Onkel Khaled, »dann hat sie vier Monate lang nur *Zamzam* getrunken, und heute ist sie kerngesund. *Allahu Akbar, Allahu Akbar.*«

Omar zwinkert mir zu, reicht mir eine leere Plastikflasche und flüstert: »Selbst wenn du nicht krank bist, bist du nachher da drin in dem Gewimmel dankbar über was zu trinken. Sorry, ich hätte ja auch lieber ein Bier, aber ich glaube, dann trifft uns hier der Schlag.«

Hinter dem Säulengang öffnet sich der große Innenhof der Moschee. Mein Vater hatte mich früher oft mit hierhergenommen, und wir waren unsere vorgeschriebenen sieben Runden um die Kaaba gelaufen. Er hatte mich immer an der Hand gehalten, damit ich in der Menge nicht verloren ging. Am Ende von jedem Besuch waren wir in der Altstadt bei einer Grillstube gewesen, wo sie ganze Rinderhälften in die

Tonöfen gehängt hatten, das geschmorte Fleisch mit einem Säbel von dem Tier herunterschnitten und es in frische Fladenbrote füllten.

Onkel Khaled spricht einen bärtigen jüngeren Mann an.

»Vorbeter«, sagt Omar. »Für dich, damit du nicht selbst die Suren aufsagen musst.«

Der Mann schüttelt Onkel Khaled die Hand, unauffällig wechseln ein paar Geldscheine den Besitzer, und die beiden winken uns zu sich herüber. »Dann wollen wir mal«, sagt Omar.

Langsam fügen wir uns in den Menschenstrom ein, der um die Kaaba zieht. *»Alhamdu-lillahi Rabbi-alalamin«,* betet der Mann vor uns mit klarer, lauter Stimme und hält beide Hände mit geöffneten Handflächen vor sich.

Neben uns drücken sich die Leute immer dichter an die Kaaba heran, einige von ihnen fotografieren auch hier, bezeugen sich und der digitalen Welt ihre Frömmigkeit, andere murmeln aggressiv vor sich hin und schubsen jeden aus dem Weg, der zwischen ihnen und dem Heiligtum steht. Jeder will das schwarze Tuch einmal berühren. Ich habe schon lange nicht mehr, vielleicht noch nie, so häufig an Gott denken müssen wie in den letzten Tagen.

»Maliki youm al-din, ya kan abudu ...« Eine alte Frau, siebzig oder achtzig, die Haut ledrig und braun, nur noch zwei Zähne im Unterkiefer, wird auf einer Trage von zwei Männern um die Kaaba getragen. Sie reckt ihre Hände in die Höhe, weint und schluchzt laut, als leide sie größte Schmerzen.

»Ya Allah, ya Allah«, ruft sie, *»Allahu Akbar!«*

Im selben Moment kommt mir ein Mann entgegen, der den wadenlangen Thowb der Fundamentalisten trägt. Sein schwarzer Bart reicht fast bis auf den Bauch, auf dem Kopf trägt er einen *Sh'mach* ohne *Eygal*. Sein Blick ist starr nach vorn gerichtet, er nimmt nicht wahr, dass er mich und Omar an der Schulter anstößt, unbeeindruckt murmelt er seine Suren vor sich hin. Aus dem Augenwinkel nehme ich im Vorbeigehen noch zwei Mädchen wahr, nicht älter als zwanzig, in glitzernden Kopftüchern, die kichern und den Bärtigen mit ihren iPhones fotografieren.

Die Sonne ist bereits untergegangen, aber die Hitze ist nach wie vor sehr drückend. Es riecht nach Schweiß und zu vielen Menschen, das Gemurmel um uns herum lullt mich ein, versetzt mich fast in eine Trance. Über uns leuchtet die Rolex-Uhr an ihrem Turm wie ein Vollmond auf uns herunter.

Wir drehen unsere Runden, murmeln Gebete, ab und zu nehme ich einen Schluck von meinem heiligen Wasser, das stumpf und nach zu viel Chlor schmeckt. Am Ende der Umrundung gibt auch Omar dem Vorbeter ein Trinkgeld, wir verabschieden uns und schlendern wieder in Richtung Ausgang. Omar steckt sich draußen erst mal eine Zigarette an, Onkel Khaled kauft einer jungen Frau eine Tüte Nüsse ab. Kurze Zeit später kommen auch Layla und Tante Basma aus der Moschee. Basma schimpft sofort mit Omar wegen der Zigarette, schlägt sie ihm aus der Hand und tritt sie auf dem Marmorboden aus. »Schäm dich«, ruft sie und versetzt ihm einen Schlag gegen die Schulter. »Weißt du, wie viele Leute da drin Allah um Gesundheit und ein langes Leben bitten?

Und du stehst hier vorne, vor Allahs Haus, und bringst dich freiwillig um! Schande über dich.«

Onkel Khaled und Tante Basma nehmen Layla mit zu ihrem Wagen, ich begleite Omar zu seinem. Gemeinsam fahren wir zum Haus von Onkel Faisal, wo wir zum Abendessen erwartet werden. Die Fahrt führt nun endlich auch durch die Gassen, an die ich mich blass erinnere. Verfallene Häuser mit nur eineinhalb Stockwerken, Stahltore, von denen die Farbe abblättert, Wege mit Schlaglöchern von der Größe eines mittleren Kraters. Wir kurven rauf und runter durch die Hügel von Mekka, ein- oder zweimal muss Omar eine Vollbremsung machen, weil uns kleine Jungs in zerrissenen Hosen und mit Fußbällen vor den Wagen springen.

Das Haus sieht noch genauso aus wie vor zwanzig Jahren, wirkt auf die Entfernung aber noch bescheidener als damals. Eine brüchige Steintreppe führt hinauf zum Eingang, wo Onkel Faisal bereits auf einen Gehstock gebückt auf uns wartet. Ein junger Mann in Laylas Alter steht neben ihm und stützt ihn am Arm. Onkel Faisal muss inzwischen über neunzig sein, denke ich, er ist einer dieser Menschen, die irgendwie immer alt waren und die man sich nur schwer als junge Männer vorstellen kann. Im Gegensatz zu Onkel Khaled ist er hager und wirkt fast zerbrechlich in seinem weißen Thowb und mit dem sorgsam gestutzten weißen Bart.

Layla und Tante Basma gehen voran. Während Basma ihrem alten Schwager nur flüchtig die Hand reicht, umarmt Layla den Alten herzlich und küsst ihm die Stirn. *»Ya Aroosa«*, ruft er mit seiner zittrigen Stimme, *»ya Aroosa, mashallah.«*

Auch Omar begrüßt den Onkel respektvoll, küsst ihm die Hand und umarmt ihn kurz. »*Ammy*, schau mal, das ist Basil, der Sohn von *Ammo* Tarek. Erkennst du ihn noch?«

Ich trete vor zu meinem alten Onkel, und wir geben uns zaghaft die Hand. »Aber natürlich, *mashallah*, Basil, Sohn meines Bruders, *hamdillah al-Salamah*, herzlich willkommen zu Hause!« Er setzt zu einer Umarmung an, lässt dabei jedoch seinen Gehstock los, der ihm vor die Füße fällt. Ich will mich bücken, bin aber zu langsam. Der junge Mann an seiner Seite hat sich schon hingekniet und den Stock aufgehoben. Er lächelt mich an und führt Onkel Faisal vorsichtig zurück ins Haus. Im Vorbeigehen reicht er mir die Hand.

»Willkommen! Ich bin Mahmoud, dein Cousin zweiten Grades! Herzlich willkommen zu Hause, kommt herein, bitte.«

Zum ersten Mal in meinem Leben betrete ich das Haus nicht über die Außentreppe und die Dachterrasse. Hinter der porösen, ausgeblichenen Holztür öffnet sich ein kleiner Flur, und das grelle Licht von Neonröhren blendet mich ein wenig. Mahmoud setzt Onkel Faisal in einem Rollstuhl ab, der direkt neben der Tür bereitsteht.

»*Amma*, ihr könnt schon reingehen in den Salon. Meine Mutter und die anderen haben Tee vorbereitet«, sagt Mahmoud zu Tante Basma und Layla. »Omar, wartet ihr hier noch einen Moment, Heba möchte Basil gern begrüßen, hat sie gesagt.«

Ich schaue Omar fragend an. »Heba, die Tochter von Tante Salma, Gott hab sie selig«, flüstert er mir zu.

Aus der Tür, hinter der Layla und meine Tante kurz vorher verschwunden waren, tritt nun eine kleine Frau in schwarzem Abaya und braunem Kopftuch. Sie trägt kaum Make-up und hat gerötete Augen. Sie kommt direkt auf mich zu, beginnt zu weinen und umarmt mich fest und herzlich. »*Ya Habibi, ya* Basil, *hamdillah al-Salamah*, ach, willkommen zu Hause, dass meine Mutter das nicht mehr erleben kann«, schluchzt sie, tätschelt mir die Wange und umarmt mich erneut. Ihr kleiner Körper zittert in meinen Armen, sie geht mir kaum bis zum Kinn und ihre Tränen hinterlassen feuchte Spuren an meinem Thowb.

»Dein Vater, Basil, das war der Liebling meiner Mutter, immer und immer hat sie geweint um ihn und gesagt, dass sie sich wünscht, die Kinder ihres Bruders nur noch einmal wiederzusehen. Und dann kam Layla, dann kam deine Schwester zu uns zurück, und meine Mutter hat tagelang nicht aufgehört zu weinen. ›Das Kind meines Bruders, meines geliebten Bruders ist zu mir zurückgekommen‹, hat sie immer wieder gesagt. ›Ach, nun will ich nur seinen Sohn noch einmal sehen.‹« Sie löst sich ein wenig und wischt sich Augen und Nase mit dem Ärmel ihrer Abaya ab, drückt sich dann aber erneut an mich und weint völlig hemmungslos an meine Brust. »Jetzt sind sie vereint, dein Vater und meine Mutter, die beiden, und sie sind sehr glücklich, dass wir auch alle wieder vereint sind.«

Ich spüre einen Kloß im Hals. Meine Hände zittern, und ohne zu wissen, ob ich gegen irgendwelche Anstandsregeln verstoße, streichele ich der weinenden Heba über den verschleierten Kopf. Aus dem Augenwinkel sehe ich Omar lächelnd nicken, ehe sich auch mein Blick leicht verschleiert.

Wir essen gemeinsam mit den Männern des Hauses, gegarten Hammel, Reis und Salat, wie gehabt auf der Dachterrasse, die inzwischen nicht mehr mit einem löchrigen Netz, sondern grünem Segeltuch überspannt ist, spielen nach dem Essen noch eine Partie Rommé und brechen nach einer letzten Kanne Tee auf. Mein alter Onkel Faisal lässt sich auf dem Weg die Treppe hinunter von mir stützen und steckt mir verschämt noch einen Umschlag zu. Ich will ablehnen, doch er sagt nur: »Schhh, du bist der Sohn meines Bruder. *Inshallah* findest du auch bald eine Braut, wie deine Schwester.«

Die Rückfahrt in Omars Wagen verläuft still, Omar raucht eine Zigarette nach der anderen, und das Letzte, was ich höre, ist ein Anruf meiner Tante aus dem Wagen vor uns. Er solle gefälligst nicht beim Fahren rauchen, das sei gefährlich, keift sie durch die Freisprechanlage. Ich lehne mich zurück und schließe die Augen.

Tarek

Er ist achtzehn, als seine Mutter ihm den Brief überreicht. Khadija ist eine nicht mehr junge Frau, die neun Kinder zur Welt gebracht hat, von denen sieben überlebten. Ihr Mann ist der Schneidermeister von Mekka, sie hat ihre Töchter gut verheiratet und für fast alle Söhne ehrbare Ehefrauen gefunden. Ihr Ältester wird das Geschäft seines Vaters übernehmen, das gehört sich so, das macht sie stolz. Aber Tarek ist ihr Jüngster. Ihr Liebling. Er sei so zart gewesen als Junge, das erzählt sie gerne, so traurige Augen habe er gehabt, dass sie befürchtete, er könne von bösen Geistern besessen sein. Immer wieder habe sie mit ihren Schwestern über dem Kinderbett gebetet und Allah angefleht, er möge diesen kleinen, in sich gekehrten Jungen beschützen.

Als er neun oder zehn Jahre alt ist, gesteht er ihr verschämt und mit leiser Stimme, dass er sich mit Kamal, dem alten Zeitungshändler in der Gasse nebenan angefreundet hat. »*Ya Mama*, Onkel Kamal gibt mir Bücher, die er aus Ägypten mitbringt.« Er zeigt der Mutter seine Schätze, zerfledderte Heftchen mit harmlosen Groschenromanen, sentimentalen

Kurzgeschichten und bebilderte Bände über Bäume, Tiere und fremde Landschaften, die sein neuer Freund Kamal ihm geschenkt hat. Sein Vater hält nicht viel vom Lesen, abgesehen vom alten Familienkoran hat er nie ein Buch besessen. Er will seinen Jüngsten zum Militär schicken. »Da wird er zum Mann, das wird ihm gut bekommen.«

Tarek versteckt seine kleine Bibliothek in einem alten Karton unter dem Bett. Außer seiner Mutter weiß nur sein älterer Bruder Khaled davon.

Sein Bruder beschützt ihn auf der Straße vor den kräftigeren, gröberen Jungen in seinem Alter. Und er hilft ihm bei den Hausaufgaben, zumindest so lange, bis Tarek schneller ist als er selbst. Da beginnt Khaled, ihm zu sagen, dass er später mal studieren müsse, das sei der richtige Weg für ihn. Heimlich schickt er die Zeugnisse seines Bruders zusammen mit einem Brief an das Schulministerium, als Bewerbung für eines der begehrten Auslandsstipendien. Die Ausgewählten würden nach Amerika oder England oder Deutschland geschickt, um zu studieren, so hatte es in der Ausschreibung gestanden. Vor allem Ärzte und Ingenieure werden gebraucht. Die einzige Bedingung ist, dass sie nach Beendigung ihrer Ausbildung zurückkommen, um ihr Wissen in den Dienst der Heimat zu stellen.

Der Brief, den seine Mutter ihm gibt, enthält die Zusage vom Bildungsministerium. »Das hat dein Bruder für dich getan«, sagt sie, als ihr Sohn zunächst nicht versteht. »Dieser Teufel, ach, ich liebe euch beide.« Seine Mutter hat Tränen in den

Augen, und Tarek versteht, dass er seine Familie bald verlassen muss.

Sein Vater ist nicht sicher, ob das ferne Ausland seinem Sohn guttun wird. Aber als seine Freunde im Kaffeehaus ihm gratulieren, weil man seinen Sohn mit *»Ya Doktor«* anreden wird, wenn er zurückkommt, willigt er ein. Vielleicht macht die Fremde seinen Tarek ja auch zum Mann?

Er lässt seinem jüngsten Sohn in seiner Schneiderei zehn Anzüge anfertigen, weiße Hemden und braune und schwarze, schwere Hosen und Sakkos, wie er sie von den Kinoplakaten von Adel Imam und Omar Sharif kennt. Der Vater ist zufrieden und wird seine Frau damit beauftragen, in der Zwischenzeit eine passende Frau für den zukünftigen jungen Doktor zu suchen.

Die Brüder legen ihr Geld zusammen und kaufen bei den Ledermachern zwei Koffer für ihren kleinen Bruder. Seine Schwester Zeinab bittet ihn, ihr ein paar Platten von Elvis Presley und Buddy Holly zu besorgen.

Am 7. Januar 1968, kurz vor seinem neunzehnten Geburtstag, wird Tarek mit seinen zwei Lederkoffern und einem frischen Bürstenhaarschnitt von Khaled zum neuen Flughafen in Jeddah gefahren. Er trägt seinen neuen braunen Tweedanzug, in dem er fürchterlich schwitzt. Er versucht, sich die Bilder seiner Stadt einzuprägen, die um ihn herum und mit ihm zusammen erwachsen geworden ist in den letzten Jahren. Die engen, maroden Gassen seiner Kindheit, mit ihren windschiefen Sandsteinhäuschen und verwitterten Holzgittern vor den Fenstern, weichen immer häufiger den hohen Häusern in amerikanischem Stil, glatte, helle Fassaden und moderne Fenster, die der Vater vor ein paar Monaten auch in seinem Haus hat einbauen lassen. Die Läden in der Altstadt bieten jetzt japanische Uhren an, und Radios, die Schulcafeteria hatte im letzten Jahr Coca-Cola in kleinen, bauchigen Glasflaschen ins Sortiment aufgenommen. Die Wellblechhütten der Straßenhändler werden nach und nach eingerissen und durch kleine grüne Kioske ersetzt. Von einem Tag auf den anderen hatten plötzlich zehn blaue Mülltonnen auf der langen Straße vor seinem Haus gestanden, alle zwei Meter eine. Die Straßen sind zunehmend verstopft, denn inzwischen kann sich fast jeder ein Auto leisten, und das Ministerium kommt mit dem Straßenbau kaum hinterher, und die Leute fahren in drei, vier oder fünf Reihen nebeneinander. Die deutschen Fabrikate, Mercedes und Volkswagen, sind beliebter als die japanischen Toyota, und zum ersten Mal fällt Tarek auf, dass dies so ziemlich das Einzige ist, was er über das Land weiß, in dem er nun bald leben wird.

»*Allah ma'ak, ya akhi*, Gott sei mit dir, mein Bruder«, sagt Khaled am Flughafen, und die beiden jungen Männer umarmen sich fest.

Tarek bleibt zwölf Jahre lang in Deutschland. In diesen Jahren lernt er die fremde Sprache fließend, nur das gerollte »R« bleibt ihm erhalten. Er lebt in einer WG mit anderen Studenten und kocht die Gerichte, die seine Mutter ihm noch beigebracht hat, Reis mit Huhn, Tomate und Zimt, er vermisst Okra und Auberginen, von denen in Deutschland in den 1970er Jahren noch kaum jemand gehört hat, und den starken schwarzen Tee mit frischer Minze. Dafür lernt er tanzen und beginnt, das Kino zu lieben. Jeden Samstag geht er zusammen mit seinem senegalesischen Mitbewohner in die kleine Lichtburg und schaut sich Marlon Brando und Steve McQueen an. Beide sind große Fans von James Bond. Er besucht seine Vorlesungen und Seminare an der frisch eröffneten Ruhr-Universität und arbeitet nebenbei im Krankenhaus. Auf Partys ist er ein beliebter Gast, weil er so gut tanzt. Bier mag er nicht, aber er bringt gerne eine Flasche Whisky mit, wenn er es sich leisten kann, und trinkt ihn auf Eis. Tarek gefällt es in Deutschland. Nur dass es so kalt ist und selbst sein schwerster Anzug aus der Schneiderei seines Vaters zu dünn für die Wintertage, das verdirbt ihm manchmal die Laune.

Seine Brüder kommen Jahr für Jahr im Sommer zu Besuch. Er selbst fliegt nur einmal in der ganzen Zeit nach Hause, um den Vater zu beerdigen, der bei einem Autounfall ums Leben gekommen ist. Und dann lernt er ein Mädchen kennen. Eines, das ganz anders ist als alle, die er kennt, in Deutschland oder daheim. Er ist inzwischen Assistenzarzt am städtischen Klinikum einer mittleren Stadt, in der es Kohlebergbau gibt, viele Arbeitsunfälle und eine Menge kleiner grauer Häuser. Tarek ist schon dreißig, das Mädchen deutlich jünger. Sie trägt die blonden Haare kurz und seitlich gescheitelt. Wenn sie über die Gänge im Krankenhaus läuft, schwingen die kleinen Ponysträhnen über der Stirn mit, als würden sie tanzen. Das Mädchen heißt Barbara und lacht viel mehr als die anderen deutschen Mädchen, die er kennt. Sie schaut ihn direkt an, fast irritierend furchtlos, ihre Stimme ist klangvoll und fest. Sie hat Hosen mit breitem Schlag und hört gerne Platten von

Joan Baez und Bob Dylan, wie er von einer anderen Schwester erfährt, die breit grinst, als er sie danach fragt, was Barbara in ihrer Freizeit so macht. Das alles gefällt Tarek, und dem Mädchen gefällt, dass der junge Arzt so höflich ist und so traurig schaut in unbeobachteten Momenten und dass er die beiden »Rs« in ihrem Namen so schön rollt – »Barrrbarra«. Während gemeinsamer Nachtschichten bringt er sie mit Geschichten über seine Nichten und Neffen zum Lachen, und sie erzählt ihn von den Platten, die sie neu gekauft hat, und von einer Reise nach Paris, die sie zusammen mit ihrer Freundin im Sommer unternehmen will. Barbara fragt ihn nach seinen Eltern und wo genau sein Zuhause eigentlich ist. Er erkundigt sich nach ihren Eltern und will wissen, wie ihr Leben so ist. Doch sie sagt nur, sie habe noch nichts erlebt.

Tarek lädt sie ins Kino ein, aber sie sagt Nein, es tue ihr leid, sie sei doch verlobt. Aber dann fragt er noch mal und noch mal, und irgendwann lacht sie und sagt Ja.

Am Tag nach dem Kino schreibt Tarek seinem Bruder, dass er seine zukünftige Frau gefunden habe. »Komm schnell, *ya akhi*, ihr werdet sie lieben, so wie ich.«

»Ich hatte doch auch oft Sehnsucht, Layla.«
»Warum hast du denn nie etwas gesagt?«

Wadi al-Hisham

Ich sitze allein im Salon, und das Handy klingelt schon wieder. Julis Bild blinkt auf und lächelt mich an. Ich bin mir sicher, dass sie in Wirklichkeit gerade ganz und gar nicht lächelt und dass es vermutlich das letzte Mal sein wird, dass ihr Bild auf meinem Display erscheint. Ich warte, bis die Mailbox rangeht, und schenke mir Tee nach. Mekka sitzt mir noch in den Knochen, ich habe Kopfschmerzen, als hätte ich geheult, und mein Nacken ist hart wie Beton. Am liebsten würde ich den ganzen Tag einfach nur schlafen und zwischendurch mal rauchen. Aber das Programm geht weiter, alles ist durchgeplant, wie in einem All-inclusive-Cluburlaub.

Ein kurzes, grelles *Ping* kündigt den Aufzug an. Die Tür öffnet sich, und Rami kommt herein. Er lächelt mich konspirativ an und erzählt, dass er für den Abend einen Ausflug in die Wüste organisiert habe. »Bachelor Gig Saudi Style. You know, diese Junggesellenabschiede wie in Europa, das geht ja hier nicht. Mit Strippern and so on. Nicht, dass mich das interessieren würde. Ich liebe deine Schwester sehr, das würde ich ihr nie antun. Aber auch unsere Version wird dir gefallen.«

»Klingt gut«, sage ich und nippe an meinem Tee. Wir schweigen uns einen Moment lang an, was ihm sichtlich unangenehmer ist als mir.

»Ich habe es Omar schon gesagt«, meint er schließlich. »Ihr braucht gar nichts, es ist für alles gesorgt, du verstehst, *ya akhi!*« Er lacht sein rasselndes, raues Lachen und fährt sich mit der freien Hand durch das schöne hellbraune, aber verdächtig dünne Haar. Ganz instinktiv greife ich nach meinem Kopf. Mein Vater hatte zuletzt fast eine Glatze und ich schon immer Panik, dass es mich auch irgendwann erwischt. Aber in diesem Punkt komme ich offenbar nach Barbara. »Pack dir einen warmen Pulli ein, Bruder«, sagt Rami. »Es wird nachts richtig kalt da draußen. Später nach dem *Maghrib* holen wir euch ab. Mein Kumpel Fadi hat Jeeps besorgt, genug Platz für alle.«

Kurz nach sieben klopft Omar an meine Tür. Wir gehen runter zu den anderen, die ihre Gebetsteppiche ausgepackt und sich schon aufgestellt haben. Ich setze mich in eine Ecke und warte darauf, dass sie fertig werden. Während die anderen beten, überlege ich, Juli doch noch eine SMS zu schreiben. Oder ihr später ein Bild aus der Wüste zu schicken. Aber ich fühle nichts dabei, und wahrscheinlich wäre es auch unfair; eine künstliche Beatmung.

Gerade als Omar und die anderen die letzten Verse gemurmelt haben, höre ich ein Hupen von draußen.

Omar steht auf und lächelt mich aufmunternd an. »*Yalla, Habibi*, auf geht's!«

Unten vor dem Haus stehen drei schwarze Jeeps mit dem Aufdruck einer Reisegesellschaft auf den Türen. »Al-Ahli Hadsch and Umra« steht da, in arabischen und lateinischen Buchstaben, grün und gold, die saudische Palme stilisiert in den Schriftzug mit eingeflochten. Nabil, der Fahrer unseres Wagens, öffnet uns die Tür und reißt mir sofort meinen Rucksack aus der Hand. In dem Auto sitzt Rami mit zwei Freunden, es wird laut über Fußball diskutiert und über Nabils Unfähigkeit, den Wagen richtig zu parken.

»Ahlan, ahlan«, schmettert Rami. *»Ya Gama'a*, darf ich euch meinen Bruder Basil vorstellen! *Ya akhi*, das sind meine besten Freunde Fadi und Hassan, Hassan ist der Mann meiner Schwester, also auch dein Bruder! *Ya Habayibi, sharaftuna*, herzlich willkommen, eine Ehre, euch einladen zu können!« Omar gibt Fadi und Hassan die Hand und tauscht ein paar Floskeln über die Kinder und die Eltern aus.

»Welcome, welcome«, sagt Hassan in meine Richtung gewandt. »Congratulation on your sister wedding!« Er zeigt mir zwei erhobene Daumen. Ich nicke, zeige einen erhobenen Daumen zurück und bedanke mich für die Glückwünsche.

Fadi dreht das Radio auf, Hassan spielt zusätzlich lauten Arab-Pop auf seinem Handy. Es wird viel und überschwänglich geredet und diskutiert, meist auf Arabisch. Ich bemühe mich nur die ersten paar Minuten, den Gesprächen zu folgen. Es geht um die Familie, um Autos, um die Arbeit. Niemand hat wirklich etwas zu sagen, sie sagen es aber laut und deutlich. Ich schaue aus dem Fenster, die Scheiben sind getönt. Aber die Lichter schimmern schön bläulich, und an der Corniche gibt es eine Menge davon, überall sind Leute unterwegs, genießen die Kühle am Abend. »Hey, Bruder der Braut«, ruft Fadi. »Ich war letztes Jahr in Deutschland. Wo liegt deine Stadt? Wir waren in München. Meine Frau wollte unbedingt diese ganzen Schlösser sehen. Totaler Mist, wenn du mich fragst, aber was tut man nicht alles für die Ladys. Trotzdem gut, Deutschland. Und euer Fußball! Amazing!« Zum ersten Mal heute muss ich ein bisschen grinsen.

Wir fahren langsam aus der Stadt heraus, erst in Richtung Mekka, dann nach Osten, Wadi al-Hisham ist schon nach einer halben Stunde ausgeschildert.

Rami lamentiert ununterbrochen über die Unfähigkeit seiner Angestellten, Fadi beschwert sich, dass seine Frau zu viel Geld ausgibt, Hassan sagt nicht viel, kommentiert nur manchmal die Fußballübertragung aus dem Radio.

Omar versetzt mir einen leichten Stoß in die Seite. Er hat die ganze Fahrt über nicht aufgehört zu rauchen und ascht in die Red-Bull-Dose in seiner Hand. »Alles okay, *ya Basha?* So schweigsam?«

»Hab gestern schlecht geschlafen«, sage ich knapp und nehme mir eine der angebotenen Zigaretten.

Seit wir die geteerten Schnellstraßen hinter uns gelassen haben, ist es stockduster. Anfangs gibt es noch ein paar vereinzelte Laternen, danach nur noch die Scheinwerfer unserer Jeeps. Der Untergrund verändert sich allmählich, die Reifen knarzen über steinigen Boden. Die Wüste ist zunächst nur ein Geräusch.

Ab und zu streift Nabil den Rand eines Schlaglochs, und wir werden hin und her geschaukelt. *»Nabil, ya 'Hmar!«*, herrscht

Rami den Fahrer jedes Mal an, aber der reagiert gelassen, zuckt nur mit den Schultern und steuert stoisch weiter ins Nichts hinein.

Fast zwei Stunden sind wir so gefahren, nun lässt Nabil einen der Jeeps, die bislang hinter uns waren, überholen. Der Wagen vor uns schaltet immer wieder auf Fernlicht, in einiger Entfernung geht es steil hinauf, ein großer Felsen mitten in der flachen Ebene oder ein Bergrücken. Davor schimmern die Lichter einer kleinen Zeltstadt. »Da wären wir!«, ruft Rami. »Willkommen in Wadi al-Hisham, die Party kann beginnen.«

Drei große Baldachine sind aufgespannt, ein alter Toyota-Pick-up steht seitwärts geparkt am Rand des Felsen, und ein paar Männer laufen im Dunkeln zwischen dem Wagen und den Zelten hin und her, tragen Kissen und Körbe.

»Ahlan, ahlan!« Rami ist ganz begeistert.

»Na endlich«, seufzt Hassan. »Wurde auch Zeit.«

Die Jeeps kommen nebeneinander zum Stehen, aus den anderen Autos steigen sieben weitere Männer, alles Freunde und Verwandte von Rami, die er mir reihum vorstellt und deren Namen ich sofort wieder vergesse. Ali, Ahmad, Faisal … Nabil und die anderen zwei Fahrer ziehen sich in Richtung Pick-up zurück, setzen sich an den Wagen gelehnt auf den Boden und drehen sich Zigaretten. Keiner von ihnen sagt ein Wort oder schaut zu uns zurück.

Ich gehe langsam mit den anderen mit, alle fuchteln mit ihren Handys in der Luft herum auf der Suche nach einem Signal. Nur Omar schlendert rauchend neben mir her, den Kopf erhoben und den Rücken durchgedrückt wie ein Pascha. »Deiner Tante wird es gar nicht gefallen, dass sie uns hier nicht erreichen kann«, sagt er und lacht. »Wahrscheinlich hat sie schon Himmel und Hölle in Bewegung gesetzt, um herauszufinden, wo wir genau sind, und Suleiman losgeschickt, uns zu suchen.«

Mit einer lässigen Bewegung schaltet er sein iPhone aus und steckt es weg. »Das brauchen wir jetzt erst mal nicht«, sagt er zufrieden. Lächelnd legt er mir den Arm um die Schulter. »Let the games begin.«

Um den Halbkreis der Zelte herum sind brennende Fackeln aufgestellt, in der Mitte lodert ein hohes Feuer. Ein kleiner Mann mit kariertem Turban und Ziegenbart stochert mit einem langen Bambusstab in den Flammen herum und legt ab und an ein paar trockene Zweige nach. Rami und seine Freunde haben es sich bereits in den ausladenden roten Polstern gemütlich gemacht und lassen sich Wasserpfeifen und Tee bringen. Der alte Pick-up scheint nicht weniger als sechs Beduinen beherbergt zu haben, die vermutlich seit dem Vormittag die kleine Zeltstadt hier aufbauen.

Omar und ich lassen uns neben den anderen auf den Polstern nieder, einer der Männer mischt schon Karten und teilt an drei andere aus. Im Mundwinkel hält er den Wasserpfeifenschlauch und pafft kleine, dichte Wölckchen. Datteln und Trockenfeigen und Tabak. Von der Wüstenstille, von der Layla mir vorgeschwärmt hatte in ihren Mails und Postkarten, ist nichts zu spüren.

Die Beduinen klappern vor dem Zelt mit Kannen, Tellern und Töpfen, jemand hat sein Smartphone in eine mobile Box gesteckt, die nun laute arabische Schlager von sich gibt, und die Männer lachen, murmeln und reden weiter laut über nichts und die Welt.

Omar sitzt mit Fadi vor einem Backgammon-Spiel und flucht lachend vor sich hin.

»Basil, *Habibi,* komm zu uns, Rommé spielst du doch?« Rami klopft auf den Platz neben sich und winkt mich zu sich und seinen Freunden. »Wunderbar, oder? Gleich gibt's Hammel, die Männer haben ihn schon heute Morgen in der Glut vergraben, da draußen hinter dem Zelt. Glaub mir, du hast noch nie so was Gutes gegessen. Willst du es dir mal anschauen, ja? *Ya Yahia, ta'al hina,* komm zu uns! Hier, das ist mein Bruder Basil, er ist unser spezieller Gast aus *Almanya*, weißt du, weit weg, mit dem Flugzeug gekommen. Er hat noch nie gesehen, wie wir hier die Hammel zubereiten. Geh und zeig es ihm, ja?« Rami erhebt sich umständlich aus den Sitzkissen, zupft seinen Thowb zurecht und schlurft mit einem einzelnen Schlappen am linken Fuß in Richtung Zeltausgang. Er hakt sich bei mir unter, und ich kann den aufdringlichen Geruch von Shishatabak und Old Spice riechen.

Einer der Beduinen kommt angerannt und buckelt drei- oder viermal vor uns. *»Hader, ya Basha, hader.«* Er bedeutet mir, ihm zu folgen, während er in seiner gebeugten Haltung vor mir her und um das Zelt herum humpelt. Seine Füße sind nackt, die braune, schwere Galabiyya hält er leicht hochgerafft in der Hand, sodass sie nicht durch den Staub schleift. Seine Füße wirken ledrig und sind fast ebenso dunkel wie seine Kleidung. Auch er trägt einen Turban, grau, aber vermutlich mal weiß gewesen, und über seiner Galabiyya eine schwarze Collegejacke mit dem Logo der Chicago Bulls. Er dreht sich immer wieder nach mir um, »very good, *Almanya,* very good«, und streckt mir einen erhobenen Daumen entgegen.

Hinter dem Zelt deutet er auf ein frisch ausgehobenes Loch. Größere Steine sind im Kreis um die Grube verteilt, sie ist mit glühenden Kohlen, heiß dampfenden Steinen, Tonscherben und einigen brennenden Zweigen ausgelegt, die einen würzigen Geruch verströmen.

Yahia, der Beduine, deutet auf das Loch. »This, määääh, in, *ya'ani, gowwa,* inside, very good, very good, määääh.« Er legt beide Hände an die faltige Stirn und will wohl Hörner andeuten. Er beugt sich tiefer, scharrt mit dem nackten Fuß in dem steinigen Sand und blökt noch ein paarmal, um mir zu verdeutlichen, dass unter der Kohle der Hammel in der Grube liegt, den wir nachher serviert bekommen werden.

Ich nicke und halte nun selbst den erhobenen Daumen hoch. *»Mumtaz«*, sage ich, woraufhin Yahia schallend lacht und mir anerkennend auf die Schulter klopft. *»Mumtaz, mumtaz, aywa!«*

Er bückt sich, nimmt einen der Äste und beginnt, in der Glut herumzustochern. Dann greift er mit der bloßen, ledrigen Hand einige der qualmenden Steine und räumt sie beiseite, ohne eine Miene zu verziehen.

Eine dicke Rauchschwade steigt wuchtig aus der kleinen Öffnung auf. Es riecht nach verbranntem Haar und Fett und verkokelter Haut. Glühende Steinchen rutschen nach, und es zischt laut. Yahia vergrößert das Loch noch ein wenig, wedelt mit den Händen den Rauch beiseite und tritt dann zurück. »Look, look«, sagt er und schiebt mich ein paar Zentimeter vor, damit ich einen besseren Blick bekomme.

Der Geruch ist unglaublich intensiv. Verbranntes Haar, angekohltes Fleisch. Der Hammel ist noch genau zu erkennen. Sein Kopf liegt in der Kohle, als schmiege er sich an ein warmes Kissen, in den Augenhöhlen sitzen noch die aufgeplatzten Augäpfel. Mit offenem Maul schaut er uns aus der Grube an, halb verzweifelt, halb verschmitzt. Fett spritzt zischend auf die glühenden Kohlen und lässt erneut grauen Rauch aufsteigen. Meine Augen beginnen zu tränen, ich halte mir den Ärmel vor die Nase, muss einen starken Brechreiz unterdrücken und huste. Instinktiv drehe ich mich weg von der Hammelgrube, um dem Fleischgeruch auszuweichen.

Yahia tritt in aller Ruhe zurück an die Feuerstelle und bedeckt das Tier wieder mit Kohlen und Zweigen. »Very good, yes?«

Ich nicke, halte einmal mehr den Daumen hoch. »*Mumtaz,* yes?«, lacht Yahia.

Die Jungs haben inzwischen die Musik voll aufgedreht – *»El donya helwa w ahla sneen ...«* –, es klingt wie Britney Spears auf Arabisch. Schrilles Gelächter im Zelt, laute Wortwechsel, vielleicht beschimpfen sie sich auch, wer weiß das schon. Mein Kopf dreht sich, der Hammel glüht hinter mir weiter, und ich stolpere ein paar Schritte weg von Yahia und in Richtung Felsen. Langsam lässt der Hustenreiz nach, der Atem wird wieder freier, die Augen haben aufgehört zu brennen. Mit dem Zipfel meines T-Shirts wische ich mir einmal übers Gesicht. Schweiß und Tränen und der plötzliche Drang, Layla anzurufen und zu brüllen: »Was soll der ganze Scheiß hier?«

Auf dem Weg zum Zelt kommt mir Fadi entgegen. »This is bullshit«, schimpft er. »No reception, fucking desert!« Er fuchtelt mit seinem Blackberry in der Luft herum und deutet auf den Felsen hinter uns. »Omar meint, ich soll mal da hochgehen«, sagt er. »Vielleicht ist da oben Empfang. You okay, dude? Geh dir mal was zu trinken besorgen. See you later.«

Einige der Jungs sind noch immer in ihr Kartenspiel vertieft. Rami baut eine der kleinen Wasserpfeifen auseinander, legt das Metallrohr beiseite und zieht etwas aus der Tasche seines Thowbs. »Ah, *y'Akhi,* du kommst genau richtig. Hast du den Hammel gesehen? Wunderbar, *mashallah*, oder? Jetzt gibt es erst mal den Aperitif.« Er zeigt mir die kleine Flasche. »Aus dem Hotel in Dubai letzte Woche«, erklärt er und leert den Johnnie Walker aus der Minibar ins Wasserbehältnis der Shisha. Der Whisky sinkt in Schlieren auf den Boden des Glaskörpers und bildet ein goldbraunes Fundament unter dem Wasser. Fachmännisch schraubt Rami das Metallrohr wieder auf, steckt einen langen, blauen Schlauch in die Öffnung und strahlt mich an wie ein Kind, das seine Hausaufgaben früher als erwartet fertig bekommen hat.

»*Yalla, t'faddal,* bitte bedien dich«, sagt er und hält mir den Schlauch hin. »Aber verrat mich nicht bei deiner Schwester. Yahia, bring Kohle für die Shisha! *Yalla!*«

Rami trägt die kleine Pfeife hinüber zu den anderen, das Ende des Schlauchs mit seinem langen, holzgeschnitzten Mundstück halte ich noch immer in der Hand. Rami geht vor mir her, ich folge an der Shisha-Leine.

Yahia kommt mit einem kleinen Eimer glühender Kohlen und platziert sie auf dem Shishakopf.

Wir sitzen zu viert um die Pfeife, der Schlauch wird herumgereicht, das Wasser blubbert, der Rauch riecht leicht nach Whisky. Es schmeckt, als würde man harten Alkohol inhalieren, macht schwindlig und schwer im Kopf. Um mich herum wird es immer lauter, Fadi kommt zurück, hat noch immer keinen Empfang für sein Blackberry. »Fucking desert!«

Einer von Ramis Freunden torkelt zu den Jeeps und kommt mit einer schweren, schwarzen Golftasche zurück. Die Männer klatschen laut und johlen. Ich muss was verpasst haben. »*Habibi,* geht es dir gut?«, fragt Omar mich von der Seite und klopft mir auf die Schulter. »Du siehst ein bisschen blass aus.«

»Alles okay, *mafi mushkila.*« Wie auf Stichwort lachen die Männer und wiederholen meine paar Brocken Arabisch, als hätten sie noch nie etwas so Lustiges gehört.

Adel, der Typ mit der Golftasche, legt sein Gepäck auf dem Zeltboden ab. »Yahia, stell die Dosen dahinten auf. Alle in einer Reihe, hier, fang.« Er wirft Yahia eine Plastiktüte mit leeren Getränkedosen zu, Yahia reagiert nicht schnell genug, und die Tüte fällt scheppernd zu Boden. Mein Kopf dreht sich, und die Übelkeit von eben ist zurück.

Adel verteilt die drei Kleinkaliber, die in roten Decken in der Golftasche eingepackt sind. »Vorsicht, Jungs, die waren ein Geschenk von Prinz Faisal an meinen Vater, weil er seinem Sohn den Blinddarm entfernt hat! Ihr habt es hier mit königlichen Waffen zu tun.«

Irgendjemand raucht einen Joint, Yahia vielleicht, oder einer der anderen Beduinen, der Whiskynebel mischt sich mit dem Hammelgestank und dem süßlichen Geruch von Gras. Die drei Gewehre sind schnell verteilt, Rami, Fadi und Hassan reihen sich als Erstes nebeneinander auf, korrigieren sich gegenseitig lautstark in der Haltung. Fadi legt die Waffe an und verfolgt Yahia mit dem Lauf, der weit ab vom Zelt die Cola-Dosen aufstellt. »Seine Frau wäre mir bestimmt dankbar«, grölt Fadi. »Wenn ich abdrücke, hat's keiner mitbekommen, okay?«

Die Männer lachen. Als ich ihn entgeistert anschaue, meint er: »Keine Sorge, *ya akhi*. Hab noch gar nicht geladen.«

Yahia lässt sich nicht aus der Ruhe bringen, türmt Dose auf Dose, hält dann den ausgestreckten Daumen in die Höhe und schlendert zurück zur Hammelgrube.

Patronen werden eingelegt, Schüsse abgefeuert. Sie hallen lange nach zwischen den Felsen, jede getroffene Dose wird bejubelt, fliegt in hohem Bogen in das Wüstendunkel, scheppert gegen die Steine. Wir stehen im Halbkreis um die drei Schützen, die Treffer werden beklatscht, jeder Fehlschuss mit lautem Hohn quittiert. Fadi trifft drei, Rami vier, Hassan keine einzige, dafür scheucht er zwei Vögel auf, die kurz hinter dem Dosenturm geschlafen haben müssen. Aus dem leeren Zelt hallt kreischende Popmusik.

Ich denke an Alex und Layla und daran, wie wir auf dem Dach der Seemannsmission saßen, den Hafengeräuschen zugehört und gedrehte Zigaretten geraucht haben. Denke, dass wir da für uns waren und dass es da keine Hammel und keine Waffen und keine Whisky-Shisha gab und dass es da doch gut war. Was zum Teufel soll das Ganze, will ich Layla fragen, am besten sofort, aber auch mein Handy hat keinen Empfang.

»*Yalla, y'Akhi, ya* Basil, your turn!« Rami hält mir das Gewehr hin. »Beweis uns mal, dass du doch noch ein echter Beduine bist.«

Er drückt mir die Waffe in die Hand und beginnt, an mir herumzubiegen wie an einer Puppe. Arm hoch, Schulter zurück, Bein vor, fester Stand, Finger an den Abzug.

»So, nun zeig mal, was du draufhast!«, sagt Fadi. Rami tritt einige Schritte zurück. »Feuer!«, ruft er.

Ich ziehe den Abzug, die Rückkopplung schlägt den Schaft sanft gegen die Schulter, ich taumle einen Schritt zurück und verreiße den Lauf. Der Schuss verhallt irgendwo an den Hügeln, die Dosen stehen unbeeindruckt da. Um mich herum wird laut gelacht.

Meine Arme senken sich langsam und sind zittrig. Layla, denke ich. Alex und ich, wir haben dir auf dem Dom mal Rosen geschossen. Alex hat angegeben, weil er beim Bund war und ich nicht, trotzdem habe ich zwei Rosen getroffen, eine gelbe und eine rosa mit viel Glitzer. Die Rosen, ein Strauß von sechs Seidenblumen, haben lange in der Vase an unserem Küchenfenster gestanden.

»Na, da müssen wir aber noch üben, bevor wir dich als vollwertiges Familienmitglied aufnehmen können«, ruft Rami und klopft mir lachend auf die Schulter.

»*Yalla*, komm, du musst das Gewehr anders halten, so –« Fadi packt meinen linken Arm, justiert das Gewehr an meiner Schulter und schraubt direkt vor meinem Gesicht an dem Diopter herum.

Dann fasst er mir an die Hüfte und will mich in den korrekten Winkel drehen.

Als hätte er dabei einen Schalter umgelegt, fährt mein Arm einfach herum. Er fährt herum mit einer Wucht, das Gewehr noch in der Hand am selben Arm, und trifft mit dem Schaft

Fadis Schläfe. Das Gewehr fällt zu Boden, irgendwas bricht ab, scheppert. Fadi steht nur da, wischt sich mit der Rechten über die Schläfe, starrt. Ich höre mich selbst atmen, heftig, schnell und in kurzen Zügen. Dann steuert auch mein rechter Arm mitsamt seiner Faust auf Fadi zu. Ein Faustschlag in sein Gesicht, als sei ich es gewohnt, als würde ich ständig andere Leute vermöbeln.

Fadi liegt am Boden, neben dem Gewehr, das nun kein Diopter mehr hat. Ich auf ihm drauf. Erst Minuten, vielleicht zehn oder fünfzehn oder zwanzig, vielleicht auch nur Sekunden später, zerrt mich jemand weg und hält meine Arme fest, die sich noch immer wild und ferngesteuert um sich schlagen.

»*Habibi, bass, khalas*. Es reicht«, flüstert Omar mir ins Ohr.

Rami bespricht sich kurz mit Omar und gibt ihm dann ein Schlüsselbund. Die anderen Männer stehen unter den Baldachinen um Fadi herum, der sich eine Cola-Dose an die geschwollene Schläfe hält. Omar hat mir seine Jacke um die Schultern gelegt und eine brennende Zigarette in die Hand gedrückt. »Warte hier kurz«, hatte er gesagt und mich an einem der schwarzen Jeeps abgestellt. Nun kommt er auf mich zu, die anderen schauen ihm schweigend nach.

»*Yalla ya Basha*, ich hab den Autoschlüssel, lass uns hier abhauen.«

Omar und ich sitzen in einem KFC an der Ausfahrt nach Jeddah, vor mir steht ein kalter Becher Filterkaffee, den ich nicht angerührt habe. Mir ist noch immer etwas übel, aber allmählich hört mein Kopf auf, sich zu drehen, und meine Gedanken werden wieder klar.

»Fadi ist ein Arschloch«, sagt Omar. »Er hatte es nicht besser verdient. Und dieser ganze Bachelor-Mist hängt mir zum Hals raus. Nur um den Hammel ist es etwas schade.« Er steckt sich ein paar Pommes in den Mund und kaut abwesend vor sich hin.

Nachdem er mich in den Wagen gesetzt hatte, haben wir die meiste Zeit geschwiegen. »Mach dir keine Sorgen, *Habibi*«, hatte er irgendwann gesagt. »Deine Schwester wird nichts erfahren. Da haben die Jungs ihren Stolz.«

Die Bedienung stellt uns einen Jumbo-Eimer mit panierten Hähnchenteilen hin, sagt nur knapp: »Enjoy«, und mir steigt die Magensäure erneut in den Mund.

»Wusstest du eigentlich, dass ich einen Sohn habe? Also noch einen, einen unehelichen? Seine Mutter ist Amerikanerin.« Mein Cousin schaut aus dem großen Fenster, vor dem nur gelegentlich ein einsames Auto über die nächtliche Autobahn fährt.

»'An jad?« Die arabische Floskel rutscht mir wie zufällig heraus. »You're kidding!«

»Nein. Er heißt David. Seine Mutter habe ich damals in Oregon kennengelernt, als ich da studiert habe. Tolle Frau. Aber es sollte nicht sein. Kannst dir ja vorstellen, was die Familie gesagt hat. David habe ich vor fünfzehn Jahren zuletzt gesehen und zu seiner Mutter schon lange keinen Kontakt mehr.«

Er nimmt sich einen Hühnerflügel, beißt aber nicht ab. »Ich wollte dableiben, Basil, und sie heiraten. Ich wollte in den Staaten bleiben. Aber manchmal ist die Familie stärker als die eigenen Träume.«

Ich kann es nicht fassen. Omar. Es gibt Fotos von Omar und mir, als wir noch Kinder waren. Ich vielleicht fünf, er fünfzehn oder sechzehn. Sein Bartwuchs war noch etwas spärlich, ging aber schon ambitioniert in Richtung Magnum-Schnäuzer, die dunklen Haare hatte er zu einem Fokuhila frisiert. Er liebte damals schon alles, was amerikanisch war – Football, Videospiele, Disney Land, die Rocky-Filme.

Wir waren schon nach Deutschland gezogen, als Omar von einem Tag auf den anderen von Onkel Khaled aus den USA nach Jeddah zurückzitiert wurde, aber ich dachte später immer, es hätte etwas mit Partys und Alkohol zu tun gehabt.

»Ich will einfach nur meine Ruhe, Basil«, sagt er schließlich. »Die Kinder sind jetzt groß und brauchen keine Mutter mehr. Aber deine Tante hat nicht lockergelassen. Also musste ich wieder jemanden finden, musste zum dritten Mal heiraten. Du hast echt Glück, *ya Basha*. In Deutschland ist es gut. Und ich rate dir eins: Lass die Finger von der Ehe.«

Scherben

Es fing damit an, dass plötzlich ständig Dinge kaputtgingen. An einem Dienstagnachmittag begann Alex' Laptop erst zu pfeifen, dann roch es verbrannt, und der Bildschirm wurde blind.

Alex war mitten in seiner Seminararbeit. Er hatte keine Back-ups und keine Kopien. Er fluchte und polterte durch sein Zimmer. »Die Dreckskiste entscheidet sich ausgerechnet jetzt zu verrecken! Verdammte Scheißtechnik. Die ganze Arbeit für'n Arsch!«

Layla zuckte nur mit den Schultern. »Selbst schuld, wenn du keine Kopien machst.« Sie ging in die Küche und setzte Teewasser auf. Ihr rechtes Hosenbein war bis zum Knie hochgekrempelt und zeigte zwei Kratzer an der Wade. In ihrem gedrehten Lockenzopf steckte ein roter Bleistift.

»Als ob du immer Back-ups machen würdest«, rief Alex ihr hinterher. »Mach mal lieber Kaffee anstatt diese ewige Kräuterscheiße. Wir sind doch hier nicht im Zoo.«

Ich drehte mich im Türrahmen um in Richtung Küche und sah noch, wie Layla, weiter mit dem Rücken zu uns, die linke

Hand hochhielt und den Mittelfinger ausstreckte. Sie konnte Alex in dieser Zeit kaum noch ertragen.

In der Woche darauf ging es weiter. Am Abend davor waren Laylas Freundinnen aus der Buchhändlerschule da gewesen, sie hatten gemeinsam in der Küche gesessen und für eine Prüfung gelernt. Alex hatte Chili gekocht und mit Sarah geflirtet.

Nun räumte Layla die Schüsseln und Teller aus der Spülmaschine, während ich am Küchentisch saß und das Kreuzworträtsel in der Fernsehzeitschrift löste.

»Sag mal, ›Landwirtschaftliches Gerät mit M‹ …«

»Mähdrescher?« Sie stapelte das Geschirr umständlich aufeinander, richtete sich auf und trat mit dem linken Fuß die Klappe der Spülmaschine zu. Dabei geriet sie ins Straucheln. Erst eine Schüssel, dann eine zweite – dann der ganze Tellerturm, alles glitt ihr aus den Fingern und krachte auf den Fliesenboden. Sie blieb mit einem einzelnen, gelben Schälchen in den Händen stehen und starrte auf den Scherbenhaufen.

»Alex wird mich umbringen. Das war das Geschirr von seinem Vater.«

Ich stand von meinem Stuhl auf und begann, die Scherben zusammenzusammeln, nahm Layla die gelbe Schale aus der Hand.

»Ach, ist doch nur Geschirr«, sagte ich, wusste aber, dass Layla recht hatte. Die Sachen waren noch aus den Studentenzeiten von Alex' Vater. Der war vor zwei Jahren bei einem Unfall ums Leben gekommen.

Gemeinsam sammelten wir die Scherben auf, kippten alles in einen blauen Müllsack und fegten den Boden. Einzelne dunkle lange Haare, Krümel und Staub mischten sich mit kleinen Keramiksplittern. Layla fischte noch eine blaue Schüsselscherbe unter der Spüle hervor und setzte sich dann an den Tisch. Sie legte die Scherbe vor sich ab und ließ sie ein paarmal kreisen: Kleine Kreise, größere Kreise, sie drehte sich wie ein kleines Scherbenkarussell auf der PVC-Platte unseres Küchentischs.

»Ich muss noch so viel lernen für die Prüfung morgen. Kannst du das hier fertig machen?«, fragte sie, wartete meine Antwort aber nicht mehr ab. Sie ging in ihr Zimmer und schloss die Tür.

Die nächsten Wochen schlafwandelten wir aneinander vorbei. Wir stolperten in der Küche übereinander, irgendjemand kochte immer mal Kaffee, meist waren unsere Zimmertüren zu. Manchmal standen morgens fremde Mädchen im Bad in einem von Alex' Basketball-Trikots und putzten sich mit seiner Zahnbürste die Zähne. Layla verließ früh das Haus, ging erst schwimmen und dann zur Arbeit.

Es wurde Herbst in Hamburg, und das warme Licht, das im September noch bis in den späten Nachmittag unsere Küche flutete, blieb nun aus. Die Möwen über den Landungsbrücken wurden immer leiser, der Lärm von der Straße auch. Manchmal regnete es tagelang.

Und dann war sie einfach weg. Ich kam vom Fußball, nass bis auf die Knochen, ließ meine Sporttasche im Flur fallen und wollte direkt unter die Dusche. Die Tür zu Laylas Zimmer stand auf, obwohl sie nicht zu Hause war. Das kam mir komisch vor, Layla hätte um diese Uhrzeit schon zurück sein sollen von der Arbeit, und wenn sie nicht da war, verschloss sie immer ihre Tür vor Alex und seinen Mädchen.

Ihr Zimmer war aufgeräumt, sogar das Bett hatte sie gemacht, was sie sonst nie tat. Ihre Prüfungsunterlagen lagen sauber zu zwei Stapeln geordnet auf dem Schreibtisch. Ich wusste, dass etwas nicht stimmte, konnte es aber nicht fassen. Ich versuchte, Layla anzurufen, landete aber direkt auf der Mailbox.

In meinem Zimmer lag er dann, der Brief, auf meinem zerwühlten Kopfkissen. Ein rausgerissener, karierter Zettel, vollgeschrieben mit schwarzem Stift, in Laylas geschwungener, mädchenhafter Handschrift.

Lieber Basil,
sie haben mir heute gesagt, dass sie mich nach der Prüfung nicht übernehmen werden im Buchladen. Ich würde die Kunden mit meiner Art zu sehr bedrängen, nicht ins Team passen. Ich müsse lernen, dass man sich im Einzelhandel mehr zurückhalten muss.
Und Alex. Ich habe ihm gesagt, dass ich ihn liebe, mehr liebe als irgendetwas sonst, und er hat nur gesagt: Ich bin in gar nichts verliebt, Layla.
Was soll ich noch hier, Basil? Sag es mir, was?
Ich habe letzte Woche mit Barbara gesprochen, und wie immer ist ihr auch alles egal. Sie hat gesagt, ich kann das Geld gern haben, aus Papas Lebensversicherung, ich soll damit machen, was ich will.

Und das mache ich jetzt, Basil. Ich will einfach nicht mehr hier sein, wo nichts passiert und nichts passt. Alles ist immer schwer und zerrissen, immer nur soll man Ecken und Enden von sich abschleifen, soll still sein oder zurückhaltend oder seine Liebe nicht zeigen. Mit Alex nicht, mit den Leuten nicht, nirgendwo passt irgendwas zusammen.
Ich hab mir gestern einen Flug nach Kairo gebucht. Einfach so, weil ich immer schon wissen wollte, wie es ist, da zu leben. Ich werde mir jetzt die Welt anschauen, die vielleicht doch mehr zu uns gehört, als wir dachten. Irgendwo muss man ja mal reinpassen, ohne sich so wahnsinnig anzustrengen.
Sei mir nicht böse, dass ich mich nicht verabschiede, aber ich glaube, so ist es einfacher für uns alle. Pass auf dich auf und auf Barbara und auch ein bisschen auf Alex. Ich melde mich bald!

Deine Layla

Ich sitze auf meinem Bett und schaue zum Schrank, an dem mein frisch gebügeltes Festtags-Thowb hängt. Mein T-Shirt riecht nach Frittierfett und ein bisschen nach Lagerfeuer. Ich nehme mein Handy vom Nachttisch und schaue darauf. Keine Nachricht, weder von Barbara noch von Juli, aber das beruhigt mich eher, als dass es mich ärgert. Ich stelle den Wecker auf acht. In knapp fünf Stunden wird er klingeln, ich werde aufstehen, duschen, mich rasieren und meine saudische Tracht anlegen, als wäre das ganz normal. Und dann werde ich runtergehen zu den anderen und meine Schwester, so wie sie war, für immer verlieren.

Hochzeit

Im Zimmer ist es stockduster, als ich erwache, die Jalousien sperren jeden Sonnenstrahl aus. Ich setze mich hektisch auf. Habe ich den Wecker nicht gehört? Mein Handy zeigt 10:45 Uhr, aus den unteren Etagen dringt geschäftiger Lärm hinauf. Ich schalte die Nachttischlampe an und reibe mir die Augen.

Es klopft an der Tür, ganz leise und vorsichtig, und Mary steckt den Kopf herein. »Frühstück ist fertig, alle anderen warten schon. *Mabrook, ya Akh al-Aroosa*«. *Akh al-Aroosa* – Bruder der Braut, das ist heute mein Rufname.

»Danke, Mary. Gib mir zehn Minuten.«

Es ist kurz vor elf, als ich im Salon bin, meine Tante, Layla, zwei Cousinen und mein Onkel frühstücken bereits. Die Pläne für den Tag werden durchgesprochen, ich bekomme nicht viel mit, sie reden zu schnell, zu hektisch.

Onkel Khaled liest seine Zeitung, macht Notizen, lässt sich immer wieder Tee nachgießen. »Keine Sorge, *ya walad*«, sagt er, als er bemerkt, wie hilflos ich mich im Raum umschaue. »Lass nur die Frauen machen. Du musst heute nichts tun.«

Layla bleibt nach dem Frühstück noch sitzen und schaut mich an. »Wie war es denn gestern? Ich hatte Rami ein paar SMS geschickt, aber er hat nicht geantwortet.«

»Es gab keinen Empfang in der Wüste. Omar und ich sind gestern Nacht schon zurückgekommen, mir ging es nicht so gut, Kreislauf, denke ich.«

»Oh, wie schade. Kein Hammel für dich?«

»Nein, den habe ich leider verpasst. Aber es war nett. Rami ist schon …«

»Ich weiß. Er wirkt immer ein bisschen laut. Und er zeigt gern, was er hat. Aber glaub mir, er ist ein Guter.«

»Solange er gut zu dir ist.«

Layla lacht, ein bisschen verlegen. Sie schaut auf den Tisch, schlägt die Augen nieder, ganz, wie man sich eine arabische Braut vorstellt. Der Zeigefinger ihrer rechten Hand fährt am Rand des leeren Teeglases entlang. Der Fernseher läuft noch im Hintergrund, alte ägyptische Seifenopern in Schwarz-Weiß, genau die Filme, mit denen Barbara damals Arabisch gelernt hat.

Ich schaue Layla an und denke an gestern, an Fadi und den Hammel und Rami und die Whisky-Shisha. Ich suche meine kleine Schwester, das Mädchen, das immer so viel wollte im Leben und mir nie von der Seite gewichen ist. Das Mädchen mit den wilden schwarzen Locken und dem Stoffhasen im Arm. Das Mädchen im roten Sommerkleid, mit dem Alex und ich endlose Autofahrten nach Spanien, Frankreich und Portugal unternommen haben, um den Hamburger Wintern zu entkommen. Ich denke an Alex und frage mich, wo er wohl sein mag, und ob er ab und zu an Layla denkt, oder an mich.

Ich greife über den Tisch hinweg und lege meine rechte Hand auf Laylas Linke. Ihre Finger sind warm und weich. Nur der goldene Verlobungsring fremdkörpert zwischen uns.

Der Tag verläuft für Omar und mich erstaunlich ruhig. Layla und die anderen Frauen sind bald zum Beauty-Salon aufgebrochen, und, wie Omar mir erklärt, besteht meine einzige Aufgabe heute darin, später für die Fotos zu posieren und danach die Braut in den Saal zu führen. Gefeiert wird getrennt, wie immer hier im Land, Frauen für sich und Männer für sich. »Vierhundert Frauen«, sagt Omar. »Mütter, Schwiegermütter, Cousinen, Tanten, Angeheiratete, Freundinnen. Mach dich auf was gefasst.«

»Und wie viele sind wir?«, frage ich ein bisschen verunsichert.

»Keine Sorge, *Habibi,* unsere Party ist kleiner. Wir sind nicht mehr als fünfzig. Die große Männerveranstaltung ist immer die *Milka,* also die Verlobung. Die war vor drei Monaten. Hast aber nichts verpasst, da gab es auch Hammel.« Lachend klopft er mir auf die Schulter. »Wir bestellen nachher *El-Beek,* machen ein paar Shishas an und spielen Karten. Alles ganz locker.«

Layla schickt mir Bilder aus dem Beauty-Salon, wie die Frauen zurechtgemacht werden. Sie selbst sieht immer weniger aus wie meine kleine Schwester und immer mehr wie eine stark geschminkte arabische Puppe. Ihre dunklen Locken scheinen länger und voller, sind zusammengesteckt mit kleinen, glitzernden Sternchen, ihr Mund wirkt noch größer und voller als sonst, dank dem grellroten Lippenstift.

Der Saal in dem Luxushotel sieht aus wie mit Gelatine überzogen. In den polierten Holzböden spiegeln sich die Lichter der dreißig Kronleuchter. Sechzig, siebzig Tische mit weißen Tischtüchern, schwere, dunkelrot bezogene Stühle, der ganze Saal ist mit rosa und tiefroten Pfingstrosen geschmückt. Die Tische gruppieren sich um eine große Bühne, die ebenfalls mit Blumen und Lichtern dekoriert ist. Mir fällt nichts Vergleichbares ein, höchstens Bilder von Empfängen oder Bällen im 19. Jahrhundert.

Der ganze Raum ist mit Lautsprechern und Kameras ausgestattet. Weiß livrierte Philippinerinnen laufen umher, rücken Stühle zurecht, stellen Gläser auf die Tische, klopfen Fusseln von den Tischtüchern, die nicht da sind.

»Mach mal den Mund zu, *ya Basha*«, meint Omar.

Wir gehen durch den Saal, und Omar erklärt mir den Ablauf der Feierlichkeiten. Die Frauen feiern allein, es gibt eine Band und Kameraleute, die das Hochzeitsvideo aufnehmen. Wenn alle Gäste angekommen sind, wird das Brautpaar von uns in den Saal geführt, dann gibt es eine kurze Zeremonie, bei der die Ringe getauscht werden.

»Aber dann müssen wir Männer schnell wieder abhauen«, sagt er. »Bringt Unglück sonst.«

»Yalla, ya Awlad!« Meine Tante kommt aus einem der Hinterzimmer über die Bühne gelaufen und winkt uns zu sich. Ich erkenne sie kaum wieder. In ihrem bodenlangen, schwar-

zen Abendkleid und den hochgesteckten Haaren sieht sie aus wie Um Kalthum. Ihre Bewegungen sind schneller, ihr Gesicht strahlt. Die alte, humpelnde Frau der letzten Tage ist wie ausgelöscht.

»*Yalla,* der Fotograf wartet.«

Wir folgen ihr durch die Tür in einen Nebensaal. Der Fotograf läuft geschäftig zwischen seinen zwei auf Stativen aufgestellten Kameras, Lampen und Reflektoren hin und her. Eine mattgraue Leinwand ist als Hintergrund aufgestellt, und der Fotograf sucht nach dem perfekten Winkel für das Licht.

Onkel Khaled und Rami stehen mit einigen anderen Männern abseits der Kameras und scheuchen den Mann herum. Beide haben weiße Thowbs an und schwarze Mishlahe, schwere, schwarze Umhänge mit Goldrand, wie man sie von den Scheichs kennt. Rami trägt einen goldenen Turban. Gute Idee bei deiner Halbglatze, denke ich und muss grinsen.

Er kommt auf mich zu und umarmt mich.

»*Ya akhi, Allah y'khallik, mabrook wa ahlan!* Gut siehst du aus, wie einer von uns.« Er zupft am Kragen meines Thowbs. Ich klopfe ihm auf die Schulter. »*Mabrook,* Rami«, sage ich mit leicht schlechtem Gewissen.

Aus dem Saal nebenan erklingt bereits Musik. Eine Frau mit rauchiger Stimme singt traditionell klingende Lieder, Trommelmusik hallt durch die schweren Türen zu uns durch. »Ah, die ersten Gäste kommen«, ruft meine Tante. »Wir müssen uns beeilen, jemand von der Familie muss da sein, um sie zu begrüßen.«

Der Fotograf stellt uns nebeneinander auf, Rami, seinen Vater und seine Brüder, Onkel Khaled, Omar und mich. Wir werden in verschiedenen Formationen fotografiert, nebeneinander, hintereinander, sitzend, stehend.

Aus einem Nebenzimmer kommt meine Cousine Amira mit einigen anderen Frauen. Auch sie tragen Abendkleider, rot, grün, pink und blau, die Stoffe glitzern und rascheln über den schweren, dunkelroten Teppichboden. Die Mädchen sind zurechtgemacht wie Filmstars bei der Oscarverleihung. Sie alle tragen schweren Schmuck, Gold, Edelsteine, eine von ihnen hat drei orangefarbene Rosen im Haar.

»Basil, *Habibi*, geh mal deine Schwester holen, sie macht sich Sorgen um ihre Frisur«, sagt Amira zu mir und schiebt mich durch die Tür, aus der sie gekommen ist, und drückt sie hinter mir ins Schloss.

In der Suite sieht es aus wie nach einem Orkan. Schuhe und Kleider liegen wild verstreut auf Stühlen und dem großen Himmelbett. Auf den zwei großen Tischen sind Schminksachen und Haarklammern verteilt, in der Luft hängt eine Wolke aus unterschiedlichsten Parfümen. Vom Lärm aus dem Saal oder dem Geraschel um den Fotografen ist nichts mehr zu hören, nur ein fernes Autohupen dringt durch die beigefarbenen Samtvorhänge. Es ist der erste Moment der Stille heute, denke ich. Kein Fernseher, keine Handys, keine Musik, keine Menschen. Ich schaue mich nach Layla um. Die Tür zu dem großen, hell erleuchteten Badezimmer ist angelehnt. Ich klopfe an.

»Komm einfach rein.«

Vor dem Spiegel, mit einer Hand auf das rosa Marmorbecken gestützt, steht meine Schwester in ihrem Brautkleid und tastet vorsichtig an ihren hochgesteckten Haaren herum. Ich mache einen Schritt ins Bad, bleibe hinter ihr stehen und schaue sie im Spiegel an. Wunderschön sieht sie aus in dem weißen Spitzenkleid und mit den großen, stark umrandeten, schwarzen Augen. Das kleine Mädchen, das an meiner Hand zur Schule gegangen ist und mir überall hin nachgelaufen kam. Die Wand an Wand ihr Leben mit mir geteilt hat. Da steht sie, Diamantenohrringe im Ohr, blutrote Lippen und mit einem nervösen Strahlen in den dunklen Augen. Durch den Spiegel fängt sie meinen Blick auf, lächelt und erkennt meine Rührung. Sie dreht sich langsam um, um die Frisur nicht zu gefährden.

»Na, wie sehe ich aus?«

»Wie eine Königin«, sage ich. Ich strecke die Hand aus und streichle vorsichtig über die aufgetürmten Haare. Eine Spange mit einem Glitzerstern ragt aus der Frisur heraus.

»Halt kurz still«, sage ich und greife vorsichtig nach der Spange. Ich merke, dass meine Hand leicht zittert. Vorsichtig nehme ich das funkelnde Sternchen und drücke es ein bisschen tiefer in ihr Haar, das so schwer nach Parfüm duftet, dass mir fast schwindelig wird.

»Jetzt ist sie, wo sie sein soll«, sage ich mit einem Kloß im Hals. Wir schauen uns an, zum ersten Mal richtig in dieser Woche, und haben beide Tränen in den Augen.

Layla streichelt mir über die Wange.

»Danke, dass du hier bist.«

»Wo sollte ich sonst sein?«

Wir umarmen uns kurz und umständlich.

»Mein Make-up und dein Thowb – keine gute Kombination«, sagt sie lachend, nimmt ein Kleenex aus der Box am

Waschtisch, dreht sich noch einmal zum Spiegel um und tupft zwei-, dreimal unter den Augen ab.

»Komm, die warten schon auf uns«, sage ich und atme tief durch.

Vor der Suite wird noch immer fotografiert, posiert und geraschelt. Als Layla durch die Tür tritt, hält das Gewusel kurz inne, alle Augen sind auf uns gerichtet, ehe sie alle zu applaudieren beginnen.

»Ah, ya ahla Aroosa!«

»Allah yehmiki, ya ahla Layla!«

»Alf, alf Mabrook!«

Fotos werden gemacht, nun auch mit der Braut, mit den Eltern von Rami, mit uns allen, in Zweier,- Dreier- und Gruppenformationen.

»Los, los, wir müssen rein. Die Leute warten«, sagt meine Tante und drängt meine Cousinen und Ramis weibliche Verwandte durch die Tür zum Festsaal. »Basil, *Habibi,* du nimmst Layla, dein Onkel geht vor, Omar kommt hinter dir, dann Rami, sein Vater und seine Brüder. *Yalla, yalla!*«

Layla hakt sich bei mir ein, lächelt und umklammert fest meinen rechten Oberarm. Ich spüre ihren Herzschlag, der sich immer weiter beschleunigt, sie atmet zweimal tief ein, senkt dann den Blick zu Boden. Ihr Lächeln ist ganz sanft.

Hastig werden wir in die richtige Reihenfolge gestellt, da geht auch schon die Flügeltür auf. Der Saal ist noch greller erleuchtet als zuvor, ohrenbetäubendes Trillern, gemischt mit der Trommelmusik und lautem Jubel und Applaus schlägt uns entgegen. Langsam setzt sich unsere Gruppe in Bewegung und tritt hintereinander auf die Bühne. Von dort aus blicke ich in ein Meer von bunt geschminkten Frauengesichtern. Einige haben sich Umhänge oder Kopftücher übergeworfen für den kurzen Augenblick männlicher Anwesenheit, andere tanzen vor der Bühne, als seien sie bei einem Popkonzert.

Die Musik schwillt immer weiter an, auf der Bühne sind in unserer Abwesenheit zwei goldene Stühle mit hohen Lehnen aufgebaut worden, über die ein Bogen aus Pfingstrosen und Lichterketten gespannt ist. Onkel Khaled bedeutet mir, Layla auf einen davon zu setzen. Sie löst sich von meinem Arm, ihre linke Hand gleitet kurz in meine rechte, unsere Finger vergraben sich ineinander, ein letztes Mal, denke ich und halte noch eine, noch zwei Sekunden fest.

Rami setzt sich auf den Stuhl neben Layla und lächelt mich herrschaftlich an. Wir anderen stellen uns neben dem Brautpaar auf, während die Band einen schnelleren Rhythmus aufnimmt und die Sängerin *»Mabrook, ya umm al Aroosa«* singt – Gratulation an die Mutter der Braut. Sahar und meine Tante beginnen zu tanzen. Sie machen anmutige Bewegungen mit den Armen, drehen sich im Rhythmus, klatschen zusammen mit den Frauen im Saal, einige singen mit, andere kommen auf die Bühne gelaufen und tanzen.

Mein Onkel und Ramis Vater bedeuten der Band nach einigen Minuten, kurz innezuhalten. Ramis Vater zieht eine kleine Schachtel mit den Trauringen aus der Tasche seines Mishlahs, mein Onkel bekommt von der Sängerin das Mikrofon in die Hand gedrückt. Er spricht ein kurzes Gebet, die erste Sure aus dem Koran, reicht Rami und Layla dann die Ringe, die in schnellen, unscheinbaren Bewegungen getauscht werden.

Die Frauen im Saal fangen wieder mit dem lauten Trillern an, die Musik setzt erneut ein. Rami erhebt sich aus seinem Stuhl und nimmt Laylas Hand und küsst sie. Layla strahlt ihn an.

Wir Männer müssen nun wieder den Saal verlassen, Omar schiebt mich hinter Rami und Onkel Khaled quer über die Bühne und zu der Tür, aus der wir gekommen sind. Ich schaue noch einmal über meine Schulter, suche Layla inmitten einer Gruppe Mädchen, die sich lachend und weinend in den Armen liegen. Sie steht bei einer unserer jüngeren Cousinen, und aus dem Augenwinkel sehe ich noch, wie sie sich mit einem schnellen Griff die Schuhe abstreift und zu tanzen beginnt.

Wenn man Abschied nimmt von Sommern und Kindheiten, von dem Ewigkeitsring, der wir sind, sie und ich, dann zerfällt die Zeit, zerfällt und wird zu etwas Neuem. Etwas Neuem für Layla und Rami. Meine Zeit bleibt stehen, liegt auf dem Boden, in kleinen Stücken.

Abreise

Omar soll mich zum Flughafen fahren, schon vor dem Mittagessen, bis dahin geben sich die Verwandten die Klinke in die Hand, wünschen mir eine gute Reise, bringen Geschenke mit, für mich und für Barbara. Gewürze, Gebäck, Nüsse, eine Shisha, ein paar Thowbs und neue Shibshib.

Onkel Khaled ist noch sichtlich erschöpft von der langen Nacht, scheucht aber Mary trotzdem alle fünf Minuten mit einem neuen Auftrag in die Küche, lässt sich Tee bringen, den Fernseher an- und wieder ausschalten, fragt nach dem Chauffeur und ob mit meinen Reisedokumenten alles in Ordnung sei.

Tante Basma hat das Packen übernommen, lässt mich keinen Finger rühren und stapelt meine Wäsche in kleinen Türmchen auf mein Bett.

»*Habibi,* so was kann ein Mann nicht«, sagt sie. »Geh und leiste deinem Onkel Gesellschaft.«

Layla meldet sich vom Flughafen. Rami und sie sind direkt im Anschluss an die Feier zur Hochzeitsreise aufgebrochen. Malaysia und dann die Malediven.

»War es noch schön?«, frage ich.

»Lang. Und ich kann mich nicht wirklich erinnern. So viele Menschen. Wie war's bei euch?«

»Wir sind irgendwann zu Omar gefahren«, sage ich und muss bei dem Gedanken daran grinsen. »Haben PlayStation gespielt. Um drei war ich dann im Bett und habe geschlafen wie ein Stein. Wenn ich das jemandem erzähle, dass hier mit Videospielen Hochzeit gefeiert wird!«

Layla lacht. Im Hintergrund höre ich die Durchsagen am Flughafen.

»Hab einen guten Flug. Und komm uns bald besuchen, ja? Wenn wir zurück sind, ist das Haus fertig, da ist genug Platz für dich.«

»Oder du kommst mal wieder nach Hause.«

»Ja, das machen wir auch bald. Barbara wird Rami kennenlernen müssen, ob sie will oder nicht. Vielleicht zu Weihnachten.«

Layla redet von ihrem neuen »wir«, und in mir macht sich die Erschöpfung der vergangenen Tage breit. Ich sitze neben Onkel Khaled in den tiefen Wohnzimmerpolstern und lasse ein letztes Mal den Lärm des Hauses über mich ergehen.

Barbara hat eine SMS geschrieben, zum ersten Mal seit meiner Abreise:

Bin nachher am Flughafen und hole dich ab.

Natürlich ist sie doch neugierig.

»Du musst bald wiederkommen. Wir werden dich so sehr vermissen«, sagt meine Tante und umarmt mich zum zehnten Mal. Omar und seine Schwester sind mit ihren Familien gekommen, wir stehen zum Aufbruch bereit im Flur. Ich werde durchgereicht wie am ersten Tag, die Frauen haben Tränen in den Augen, bestellen Grüße an meine Mutter, »wie schade, dass sie nicht mitgekommen ist. Wir vermissen sie hier.«

Ich fahre mit einem Koffer mehr wieder ab, als ich gekommen bin. »*Yalla*, wir müssen los«, sagt Omar.

Onkel Khaled umarmt mich lang und fest. »Bleib nicht wieder so lange weg«, sagt er.

Omar verstaut die Koffer in seinem Landrover. »Hast du alles? Pass? Ticket? Dein Handy?«

»Ja, alles da.«

»Maasalama, ya Basha«, ruft Mußa uns noch nach und winkt.

»*Yalla,* du hast es überlebt«, sagt Omar lachend. »Hättest du letzte Woche nicht für möglich gehalten, oder?«

Auch ich muss nun lachen. »Ja, das stimmt wohl. Und ich werde euch alle wirklich sehr vermissen, glaube ich.«

»Ich dich auch, Bruder. Ich dich auch. Und erzähl deiner Mutter, dass es Layla gut geht, ja? Wir passen schon auf sie auf. Mach dir keine Sorgen.«

Er biegt auf die vielbefahrene Corniche ab und fährt am Meer entlang. »Ab morgen hast du es wieder kalt, genieß die Wärme, *Habibi!*«

Die Sonne steht hoch, es ist kurz nach zwölf, und an der Uferpromenade ist kaum etwas los. Nur vereinzelt sitzen junge Männer auf dem Mäuerchen, trinken Tee oder rauchen. Das Meer glitzert still vor sich hin. Vor uns taucht der Anfang des kleinen Jachthafens mit seinem langen Holzsteg auf.

Unser Vater hatte uns oft hierhergebracht zum Angeln. Meist freitags, nach dem Mittagsgebet. Stundenlang standen wir dann auf dem Steg, mit unseren viel zu großen Angeln, und warteten, dass ein Fisch anbiss. Layla hatte weniger Geduld als ich. Nach einer halben Stunde übergab sie unserem Vater die Angel und suchte sich andere Kinder zum Spielen. Papa und ich standen dann nebeneinander, hielten unsere Angelruten fest und schauten den Schiffen zu. Er erklärte mir, woran man erkennen konnte, woher die Schiffe kamen und wohin sie fuhren. »Schau dir die Flaggen an, die dort gehisst sind. Die eine zeigt den Heimathafen, die andere ihr Ziel.«

Layla hüpfte mit anderen Mädchen den Steg entlang, sammelte kleine Steinchen auf und warf sie ins Wasser. Manchmal kam auch Barbara mit zum Steg. Sie lehnte dann am Geländer neben meinem Vater, beobachtete Layla und ermahnte sie, sich nicht zu weit von uns zu entfernen. Aber in meiner Erinnerung lächelt sie fast immer. Sie kaufte Zuckerwatte für uns und gesalzene Nüsse für meinen Vater. Die pakistanischen Händler beglückwünschten sie zu ihrem brüchigen Arabisch, und Barbara lachte geschmeichelt. Irgendwo an der Promenade machte immer jemand Musik, trommelte, sang Lieder von Fairouz. Die Tage waren lange hell. Wenn die Sonne tief gesunken war, machten wir uns auf den Weg zum Fischmarkt am Rande des kleinen Hafens. Layla nahm mich an der Hand und zog mich durch die Gänge zwischen den Marktständen, suchte Fisch und frische Garnelen für das Abendessen aus, zeigte auf Riesenkrebse und Flügelrochen. Sie lachte viel und ließ sich von den Fischern kleine Muscheln schenken. Es gab niemanden unter den Fischern, der nicht völlig hingerissen war von dem kleinen Mädchen mit dem schwarzen Lockenkopf. »*Wallah, ya Doktor*«, sagten sie dann zu meinem Vater, »*mabrook* zu deinen Kindern. Eine Schönheit, deine Tochter. Schaut sie euch an, *Wejj mebtasim* – ein lachendes Gesicht hat sie. Allah beschütze sie und deine Familie und schenke euch ewiges Glück.«

Danke.

Meiner Familie für einfach alles, vor allem aber für die Freiheit, anders sein zu dürfen – Anne und Hassan Khayat, Majid Khayat, Eva Thelen, Lisa Thelen, Anneliese Schlegel, Abdallah Khayat, Aisha Qurban und Familie:

إلى عائلتي العزيزة؛ شكراً من القلب؛ الله يحميكم ويخليكم لي.

Miriam Holstein, ohne die nicht eine einzige Zeile geschrieben und dieses Buch niemals fertig geworden wäre. Du bist die Größte, dieses Buch gehört Dir.

Sebastian Blum, Anna Depenbusch und Nathalie Putterer für starke Schultern und offene Ohren, für ihre unvergleichliche, uneingeschränkte Loyalität und Unterstützung.

Und allerherzlichsten Dank auch an:
Die Stiftung kunst:raum sylt quelle, Stefanie Ericke-Keidtel, Olga Grjasnowa, Rudi Novotny, Anne Otto, Anna Thiemann, Christiane Thiemann, Kathrin Tischendorf, Peter Wawerzinek und Jan Valk.

Buddha und Petersilie. Eine Reise

Meine Mutter vermisste vor allem Petersilie. Nicht die Petersilie mit den kleinen krausen Blättern, sondern die glatte, die man in dicken Bündeln auf Märkten kaufen kann. Sie vermisste auch frischen Koriander und Zucchini. Wir waren gerade mit der ganzen Familie zurück nach Deutschland gezogen, acht Jahre lang hatten wir in Jeddah gelebt, und meine Mutter hatte sich daran gewöhnt, gewisse Dinge zu kochen. Auch wir vermissten Diverses auf dem Esstisch – mein Bruder hatte sich bald damit abgefunden, dass es keine *Bamiya* mehr geben würde, mein Vater und ich trauerten unserer geliebten *Molokhiyya* aber noch Jahre hinterher. Meine Mutter bemühte sich redlich, das muss man so sagen, uns unsere Lieblingsgerichte trotzdem zu kochen. Sie fälschte, schummelte und improvisierte, und jeder neu eröffnete türkische Supermarkt in der Umgebung wurde immer sofort angesteuert, in der Hoffnung, doch mal diese Petersilie zu finden. So schwer konnte das doch unmöglich sein!

Das war im Jahr 1988, in einer kleinen Stadt mitten im Ruhrgebiet, und nirgendwo war ein Bund glatte Petersilie oder eine Zucchini aufzutreiben.

Dazu muss man vielleicht erklären, dass meine Mutter eine gebürtige Deutsche ist, mein Vater hingegen aus Saudi-Arabien stammt. Der Umzug nach Deutschland, in die Heimat meiner Großeltern mütterlicherseits, war in erster Linie der Idee geschuldet, dass wir Kinder, wohl vor allem ich, das Mädchen, es in Deutschland in der Schule leichter haben würden. Einfach war das für uns alle nicht, das stand fest. Besonders meine Mutter, diese patente Frau, erzählt noch heute mit viel Wehmut, wie gern sie damals in Jeddah gelebt hat, dass sie den Ort noch immer als ein Zuhause begreift und manchmal vermisst.

Ich habe inzwischen gelernt, aber das hat viele Jahre gedauert, dass es bei den meisten Menschen in unserer sogenannten westlichen Welt mitunter Befremden und größeren Erklärungsbedarf auslöst, wenn man so etwas erzählt – eine deutsche Frau, eine gemischte Familie, wie kann es sein, dass sie sich dort so wohl gefühlt haben, in diesem fernen Land, das in unseren Breiten ja hauptsächlich durch Negativschlagzeilen bekannt ist. Und wo man als Frau doch gar nichts darf. Autofahren! Ein Bankkonto eröffnen! Und dann vermissen sie auch noch Petersilie und rote Linsen?! Sind die denn noch bei Trost?

Was das Essen angeht, haben wir uns mit dem neuen Zuhause wohl oder übel irgendwann arrangiert. Jeder Urlaub in Jeddah wurde mit Großeinkäufen beendet, man schleppte *Ful Medammes* in Dosen, rote Linsen, diverse Gewürze und frische Granatäpfel in riesigen Koffern zurück nach Deutschland. Wenn sich dann der Geruch von ausgebackenen Auberginen mit Granatapfelkernen, Knoblauch und Koriander in unserem deutschen Haus verbreitete, war das immer ein bisschen wie Weihnachten. Aber die Sehnsucht nach diesem alten Zuhause hat es am Ende auch nicht gestillt, sondern vielleicht auch immer ein bisschen größer gemacht.

Andere Dinge waren noch schwieriger zu begreifen. Warum zum Beispiel bekamen wir ständig zu hören, in der Schule etwa, dass wir doch bestimmt jetzt sehr froh seien, in Deutschland zu leben, weil wir ja immerhin Deutsche seien. Unsere Andersartigkeit, vor allem die von uns Kindern, fiel nicht besonders stark auf. Nur unsere seltsamen Namen, die man immerzu buchstabieren musste, waren das einzige, was uns erst auf den zweiten Blick als nicht ganz passend auswies, dort in der kleinen Stadt im Ruhrgebiet. Man begegnete uns freundlich, ja wohlwollend, möchte man sagen. Warum also fühlten wir uns trotzdem so fremd? So außen vor? Und gleichzeitig so unfreiwillig annektiert? War es das kalte Wetter? Die fremden anderen Kinder? Der Mangel an arabischen Lebensmitteln?

Wenn ich heute an diese ersten Jahre in Deutschland zurückdenke, an all die Fragen, die ich mir selbst und die mir andere (nicht) gestellt haben, wird mir manchmal ziemlich schwindlig. Unsere Leben waren vertauscht worden, der einstige Urlaubsort bei den deutschen Großeltern war zum Zuhause geworden, das frühere Zuhause plötzlich nur noch Ferienziel. Und doch war da immer diese Sehnsucht, dieses Heimweh, bei uns allen.

Das hingegen wollte so gar nicht zu all den Menschen passen, die immerzu darauf insistierten, dass es doch für uns in Deutschland viel besser sei jetzt. Viel freier. Viel schöner. Ich begann mich zu schämen, und das Gefühl, dass etwas mit mir nicht stimmen müsse, weil ich das so gar nicht sehen konnte, was genau jetzt hier in der kleinen Stadt im Ruhrgebiet besser sein sollte, wurde immer stärker. Displacement. Wir hatten keinen Namen dafür. Nur eine diffuse innere Stimme, die immerzu sagte: »Du machst doch was falsch, wenn du dich hier nicht wohlfühlst. Alle sagen, du musst dich wohlfühlen. Es muss an dir liegen, ganz bestimmt.«

Dieses Gefühl hielt ziemlich lange an. Ich konnte es nie jemandem wirklich erklären, zu groß die Scham und die Angst, dass es sich um ein eigenes Versagen, um einen eigenen Mangel handelte. Wenn ich mich nur noch mehr bemühe, dachte ich als junger Mensch, wenn ich mich noch mehr anpasse, blöde Witze über Araber mache, meine deutsche Sprache verfeinere und meine arabische Sprache ablege, wenn ich selbst immerzu behaupte, ich sei doch Deutsche, und mich immer weiter von meinem Arabischsein abgrenze, dann wird sich das Gefühl doch irgendwann mit den Feststellungen der anderen decken müssen.

Dann kam der eine Satz, der mir damals, mit vielleicht 17 oder 18, kurz vor dem Abitur jedenfalls, zum ersten Mal ein einigermaßen bekanntes Gefühl beschrieb: »My name is Karim Amir, and I‹m an Englishman, born and bread, almost.« Es ist der erste Satz aus Hanif Kureishis Roman *The Buddha of Suburbia*. Dieses »almost«, dieses kleine Wort, dieser Nachsatz, so einfach, so schlicht – und es enthielt all meine Zweifel, all mein Unwohlsein mit mir selbst und der Welt um mich herum. Da war jemand englisch, aber dann irgendwie auch doch nicht. Da war jemand ein anderer als sein Name eigentlich behauptete. Der Roman erzählt von Karims britischer Mutter, die sich die rassistischen Bemerkungen ihrer Nachbarn anhören muss, er erzählt von Karims indischem Vater, der sich, obwohl er als Muslim sozialisiert ist, in der kleinbürgerlichen Nachbarschaft plötzlich als buddhistischer Guru inszeniert, Yoga-Workshops gibt und esoterische Vorträge hält, sich selbst eine neue Identität erfindet. Der Roman spielt sämtliche Töne, laut und leise, subtil und offensiv, an jeder einzelnen Figur durch – immer mit der Frage im Hintergrund: Wie lebt es sich mit fremdem Namen, fremdartigem Aussehen in einer engen, kleinen Vorstadt?

Ich hatte längst begonnen, ununterbrochen zu lesen, sogar in einer Buchhandlung zu jobben, in der Hoffnung, vielleicht irgendwo eine Erklärung für diesen nebligen Graben in mir zu finden. Kureishis Roman erklärte mir, und wohl auch einer ganzen Generation von Migrantenkindern, zum vielleicht ersten Mal, dass es nicht an einem selbst liegt, dieses komische Gefühl der Verschobenheit, sondern dass es von außen kommt. Dass die anderen, die Mitschüler, die Kollegen, die Nachbarn es sind, die einen mit ihren gutgemeinten Bemerkungen einerseits oder auch mit offener Feindseligkeit andererseits immerzu exponieren, immerzu in die Position des »anderen« versetzen. Der »Buddha« ist für mich bis heute eines der wichtigsten Bücher meines Lebens.

Ich fühlte mich beflügelt, verstanden. So wie sich Gleichaltrige von Hesses *Steppenwolf* oder von den Beatniks verstanden fühlten. Ich begann zu schreiben. Ich schrieb und schrieb, Tagebücher voll, versuchte, wie Kureishi, Worte und Bilder zu finden für das Gefühl der Fremdheit im Außen. Ich las und schrieb, schrieb mich aus der Kleinstadt heraus, aus den inneren Konflikten und den äußeren, mit meinen Eltern, meiner Familie, meinen Mitschülern. Ich schrieb mich aus der Isolation heraus in eine neue, andere, wunderbare Form der Isolation hinein, die des schreibenden Lesers.

Ich verließ die kleine Stadt im Ruhrgebiet und zog in eine mittelgroße Stadt am Rhein. Dort gab es sehr grüne Wiesen, bunt gestrichene Altbauten mit viel Stuck und ein sonnengelbes altes Schloss, in dem sich die Universität befand, die ich dann besuchte. Dort gab es mehr Bücher, mehr Literatur, es gab neue Menschen, die mir sehr lieb wurden, die mir ausländische Filme zeigten, moderne Kunst nahebrachten und Michel Houellebecqs *Ausweitung der Kampfzone* unters Kopfkissen legten. Die Welt schien sich zu öffnen, es kam Luft hinein in das von der Kleinstadtenge zusammengepresste Leben. Wie bei Karim, wie im *Buddha*, als es ihn nach London führt, wo er Schauspieler wird. Zum ersten Mal fühlte ich mich wirklich zu Hause – in der Kunst, in der Sprache, die ich mir so akribisch und in all ihren Facetten zu eigen zu machen versuchte.

Und gleichzeitig, das merkte ich aber erst viel später, entfernte es mich immer weiter von der Familie, mit der ich doch dieses Gefühl der Fremdheit teilte, die Sehnsucht nach Zurückgelassenem, nach Petersilie und frischem Koriander.

Erst ein Hauptseminar über Orientalismus rüttelte wieder an diesen Dingen, an der Herkunft, die ich doch endlich so weit hinter mir gelassen hatte. Edward W. Said rüttelte, die Orientreisenden des 19. Jahrhunderts rüttelten, Nervals *Die Frauen von Kairo* rüttelte. Da waren sie wieder, all die Bilder, die Geräusche, die Gerüche, die dort aus westlicher Perspektive beschrieben wurden, mit diesem »orientalistischen Blick«, wie wir Studenten lernten. Und ich wollte immer wieder aufschreien: »Ja, aber ein bisschen so ist es aber doch! Ihr wisst das nicht, aber ich, ich weiß das! Glaubt mir, ich kenne das, weiß, wovon ich rede!« Da war sie wieder, diese Lücke, diese merkwürdige, schmerzhafte Lücke.

Nach *Orientalism* nahm ich mir auch Edward Saids Autobiographie vor. *Out of place*. Eine Geschichte, so irrwitzig, so voller Gegensätze, voller Liebe, Trauer, Fragen und versuchter Antworten über die eigene Herkunft und den eigenen Platz in der Welt.

Es gab einen neuen Kureishi-Moment. Und diesmal folgte kein erratisches, sondern ein systematisches Lesen. Ich las mich einmal quer durch die Kolonialliteratur, vor allem die britische und französische, holte mir Denkstützen bei Susan Sontag und Joan Didion, schrieb, wie Didion sagt, »um herauszufinden, was ich eigentlich denke«, holte mir meine alte, meine erste, meine eigene Sprache zurück, las arabische Zeitungen und Bücher, besorgte mir arabische Filme und Serien. Ich öffnete die Tür wieder, ließ die arabische Sprache herein. Ein Wiedersehen nach langer Zeit. Ich begann zu reisen. Ich reiste drei, vier Jahre lang jedes Jahr für Monate in sämtliche arabische Länder. Meist allein, manchmal auch nicht. Ich blendete all die Fragen danach aus, was ich da eigentlich tat, warum all das. Antwortete einfach nicht.

Auf den Reisen las ich und schrieb. Schrieb Briefe, Artikel, Unmengen an Geschichten in bunte Notizbücher, schrieb von Begegnungen, Gefahren und Freuden, alles, was auf Reisen passiert. Ich schrieb plötzlich dreisprachig in meine Notizbücher, mein Kopf war völlig entfesselt, die Seiten füllten sich mit deutschen, englischen und arabischen Wörtern und Sätzen. Auf eine seltsame Art fühlte ich mich zum ersten Mal frei. Frei von wertenden, urteilenden Blicken der anderen.

Ich spürte alte Sehnsüchte, vermisste aber plötzlich auch mein deutsches Bett, aß endlich wieder frisch zubereitete Falafel vom Straßenverkäufer und freute mich bei jeder Rückkehr nach Deutschland, dass meine deutsche Großmutter Sauerbraten, Rotkohl und Klöße auf den Tisch stellte. Aber die Lücke begann sich zu schließen. Allmählich und langsam. Und heilsam.

All das funktionierte nicht nahtlos, nicht unfallfrei. Es blieben Menschen auf der Strecke, wie das immer so ist, wenn man sich häutet, wenn man glaubt, man müsse sich immerzu bewegen. Andere wuchsen mit mir, blieben oder kamen zurück. Halfen dabei, immer wieder anzukommen im Hier oder Dort. Ich richtete mir eine Welt ein zwischen vielen Ländern und Sprachen und mit vielen Menschen meines Herzens überall.

Ich hatte die Enge der kleinen Stadt im Ruhrgebiet endlich abgelegt. Und angefangen, ein Buch zu schreiben.

Die britische Schriftstellerin Taiye Selasi hielt vor einer Weile einen Vortrag mit dem Titel »Don‹t ask me, where I‹m from, ask me where I'm local«. Ein Vortrag, der so perfekt ins 21. Jahrhundert passt, stellt er doch fest, dass es so etwas wie »Herkunft« inzwischen gar nicht mehr mit Sicherheit auszumachen sei, dass Identitäten fluide sind und wir als jüngere Generation einer globalisierten Gesellschaft heutzutage an vielen Orten »locals« sind. Selasi schreibt in ihrer Rede, sie sei »local« in verschiedenen Kulturen, fühle sich nicht zwangsweise als Britin, Ghanaerin oder Amerikanerin. Jegliche Erfahrung habe ihren Ursprung in der einen oder anderen bestimmten Kultur. Jede Identität ist die Summe aus Erfahrungen.

Lebensläufe wie diese, wie die von Taiye Selasi, wie mein eigener, sind inzwischen längst Normalität. Menschen mit Eltern aus verschiedenen Ländern, Kulturen, Religionen, die sich in völlig unterschiedlichen Ecken der Welt niederlassen. Nur in der Umsetzung und in der alltäglichen Wahrnehmung scheint es noch Probleme zu geben. Dieses Gefühl des nicht ganz richtig Dazugehörens, des Außenvorseins nämlich, ist und bleibt Bestandteil all dieser Biographien. Wir suchen uns ein neues Zuhause, in der Welt, in der Kunst. Da, wo der Blick urteilsfrei sein kann.

Niemand deplaziert sich selbst. Es ist keine Entscheidung, kein autonomer Akt, sich deplaziert zu fühlen. Es muss seine Ursache also im Außen haben. Etwas, was dem sich deplaziert Fühlenden entgegengebracht wird, was ihn daran hindert, sich *am richtigen Ort* zu fühlen.

Kommt man als Migrant oder Auswanderer oder Flüchtling oder Third Culture Kid an einem Ort an, an dem man sich vorerst oder auch permanent niederlässt, beginnt man unweigerlich, sich anzupassen. Man lernt die Sprache, sofern man sie nicht bereits beherrscht, so wie wir damals, nimmt lokale Dialekte an, vielleicht eine bestimmte Körpersprache, Gewohnheiten, die zur Umgebung gehören. Man beobachtet seine Mitmenschen sehr genau, wird zum Verwandlungskünstler in der Masse, versucht, nicht aufzufallen, freut sich beinahe, wenn man immer häufiger vermittelt bekommt, wie gut man doch *integriert* sei. Man wird zum Chamäleon, jegliche Form bemerkbarer Andersartigkeit scheint plötzlich schambesetzt.

Dabei wird viel zu oft vergessen, oder außer Acht gelassen, oder übersehen, dass erfolgreiche Integration nicht gleichbedeutend ist mit Annexion oder Assimilation. Denn dann verschwindet ein Teil des Selbst, er wird abgegeben, weggedrückt oder weggenommen.

Wir fühlten uns fremd in Deutschland, weil uns vertraute Dinge fehlten – unsere große Familie, mit der wir in Jeddah sehr viel Zeit verbrachten. Das warme Wetter, die Sonne, die regelmäßigen Wochenenden am Meer. Der laute *Adhan* fünfmal am Tag. Die Sprache, die sich plötzlich fremd anfühlte, weil sie nur noch mit dem Deutschen vermischt und innerhalb unserer kleinen Kernfamilie in unserer Küche stattfand und nicht mehr aus Fernsehern, Radios oder Telefonen schallte, also nicht mehr allgegenwärtig war. Und nicht zuletzt bekannte Gerüche und Geschmäcker, Zucchini und Petersilie. All das ließ sich nicht überschreiben oder gar ersetzen durch die Freiheit, mit dem Rad zur Schule fahren zu können, ohne Schuluniform, oder durch die Tatsache, dass meine Mutter sich nun auch wieder hinter‹s Steuer setzen durfte.

Ich träume von einer Zeit, in der all das nebeneinander stehen darf. In der nicht mehr gesehen wird, ob jemand dunklere Haut oder einen anders klingenden Namen trägt. Und in der sich niemand mehr schämen muss, weil auf ihn herabgesehen wird aufgrund seines Fremdseins. In der es erlaubt, ja sogar selbstverständlich sein wird, dass man spielen und wechseln darf, frei zwischen all den Welten, die wir in uns tragen.

Meine größte Inspiration hierbei, und das wissen sie, glaube ich, gar nicht, sind meine eigenen Eltern, die uns ein Zuhause gebaut haben, wo es jedes Jahr einen Weihnachtsbaum gab, aber auch mehrmals im Monat arabische Linsensuppe mit frischen *Sambusak*.

Heute gibt es überall Petersilie und Zucchini zu kaufen in Deutschland.

Einmal fragte ich meine Mutter: »Hast du damals in Jeddah eigentlich auch irgendetwas an Deutschland vermisst?«

»Die Jahreszeiten«, hat sie geantwortet.

Meine beiden Romanfiguren und ich teilen gewisse biographische Eckdaten miteinander. So wie sie auch Migrantenkinder allerorten mit mir teilen. Unsere Strategien, damit umzugehen, sind ganz verschieden. Ich schreibe Geschichten. Mein Ort gegen die Entortung ist die Sprache geworden.

Dieses Essay erschien erstmals in der Zeitschrift *Fikrun Wa Fann* (Nr. 105, »Displacement«, Juli 2016). Wir danken dem Goethe Institut und dem Herausgeber Stefan Weidner für die freundliche Erlaubnis, es hier aufnehmen zu können.